Etimología de las pasiones

IVONNE BORDELOIS

Etimología
de las pasiones

libros del
Zorzal

Bordelois, Ivonne
Etimología de las pasiones
1a ed. Buenos Aires: Libros del Zorzal, 2006
200 p.; 21x14 cm. (Mirada atenta)

ISBN 987-1081-92-8

1. Ensayo Argentino. I. Título   CDD A864

IMAGEN DE TAPA
LEONARDO DA VINCI · SAN JUAN BAUTISTA

ISBN-10 987-1081-92-8
ISBN-13 978-987-1081-92-9

Libros del Zorzal
Printed in Argentina
Hecho el depósito que previene la ley 11.723

Para sugerencias o comentarios acerca del contenido de
Etimología de las pasiones, escríbanos a: info@delzorzal.com.ar

www.delzorzal.com.ar

Índice

Prólogo

En el mundo de la palabra existen leyes y magias inelu-
dibles. Una de ellas es el poder de enhebrarnos, a través del estudio etimológico, en esas genealogías que
brillan en las cavernas del pasado como gotas desli-
zándose en las paredes de una gruta inacabable. Cada
hilera de reflejos se bifurca en nuevas preguntas, nuevas galerías, nuevos reflejos, nuevas grutas. De una raíz
se salta a otra y así va creciendo un bosque subterrá-
neo de correspondencias y avenidas misteriosas.

    Cuando volví al país, después de un periplo que
duró más de treinta años de distancia, comenzamos a
jugar con Miguel Mascialino, amigo de larga data, a
estas exploraciones. A él lo acompañaba su familiaridad con las lenguas clásicas, semíticas y modernas, su
experiencia de lecturas novedosas de la Biblia, su don
hermenéutico para escrituras y acontecimientos. A mí
me ayudaba mi incursión en la lingüística académica,
pero mucho más mi inclinación por la poesía y mi in-
declinable pasión por interrogar el cuerpo de la palabra. Los juegos fueron conduciendo a un seminario de
etimología sugerido por Lucía Balmaceda de
Mascialino, para el cual contamos con la hospitalidad
de Goecro, lugar de trabajo del grupo de psicología

social que ella conducía. El entusiasmo que se fue difundiendo desde este pequeño cenáculo nos condujo a organizar el material en formas más claras y estructuradas.

Aun cuando siempre Miguel Mascialino y yo reverenciamos la sabiduría ofrecida por la aventura etimológica en su totalidad, poco a poco se fue delineando más nítidamente la densidad y el interés de ciertas zonas específicas en el material que estábamos trabajando. También se volvió más patente su cualidad removedora y por momentos contestataria. La idea de un libro que presentara estas reflexiones a un público más vasto se abrió paso entonces de un modo natural, como una exigencia de crecimiento y de participación comunitaria. Encontramos en Leopoldo y Octavio Kulesz, editores de Libros del Zorzal, la escucha atenta que suelen dispensar a los proyectos que sacuden la modorra intelectual de estos tiempos. Y el libro se fue abriendo paso lentamente, porque no es fácil trasladar la ciencia fragmentada de los diccionarios y la erudición de los estudios etimológicos al estilo de reflexión inteligible y a la línea argumental que la novedad y la delicadeza de estos materiales sugieren.

Un cuerpo de lecturas muy vastas y enriquecedoras –Platón, Spinoza, Freud, Nietzsche entre muchos otros– nos fue acompañando por el camino. Si bien estas lecturas, y las reflexiones y discusiones que de ellas se siguieron, inspiran muchas de las páginas de este libro, son nuestras las afirmaciones e interpretaciones que hacemos en cuanto al sentido y la dirección del devenir etimológico de las palabras que estudiamos. Somos conscientes de que éste es un primer esfuerzo en una orientación extrañamente poco explorada hasta ahora, acerca de una materia extremadamente compleja; por lo tanto, esperamos transformaciones en muchas de las perspectivas que ofrecemos. Aun cuando Miguel Mascialino, por razones personales, ha preferido no aparecer formalmente como coautor de este libro, esta propuesta epistemológica nos incumbe –y nos arriesga– a ambos; por otra parte, el detalle de la organización del texto me pertenece, así como la redacción, en su totalidad.

Según J. M. Coetzee, "para poder remontar éticamente las aguas hasta el presente y hallar qué viejos sentidos continúan reverberando en el lenguaje actual, antes se debería aprender a escribir en aquellas palabras supuestamente perimidas. La tarea del narrador sería, entonces, la de desmontar, desde el propio corazón del idioma, los mitos sobre los que reposa toda cultura". Este libro pretende ser una nueva narración acerca de las palabras-mitos que, como dioses lares indescifrables, subyacen en nuestra cultura. Deconstruyéndolas y reconstruyéndolas quisiéramos, como Mallarmé, llegar a dar un sentido más puro a las palabras de la tribu.

Ivonne Bordelois / Miguel Mascialino

Buenos Aires, julio de 2006

Es de creer que las pasiones dictaron los primeros gestos y que arrancaron las primeras voces... No se comenzó por razonar sino por sentir. Para conmover a un joven corazón, para responder a un agresor injusto, la naturaleza dicta acentos, gritos, lamentos. He aquí las palabras más antiguas inventadas y he aquí por qué las primeras lenguas fueron melodiosas y apasionadas antes de ser simples y metódicas... He aquí cómo el sentido figurado nace antes que el literal, cuando la pasión fascina nuestros ojos y la primera noción que nos ofrece no es la de la verdad.

JEAN-JACQUES ROUSSEAU

1

Entrada en la materia

1. El lenguaje: ¿un nuevo oráculo?

> *La única libertad posible se realiza a través*
> *del conocimiento de las propias pasiones.*
>
> SPINOZA

Cáncer de la razón para Kant y enfermedades del alma para Platón: ésas son las pasiones en la filosofía occidental. Pero "nada importante se realiza en la historia sin pasión", dice Hegel, y Balzac coincide: "La pasión es universal. Sin ella, la religión, la historia, el arte, la novela no existirían". En nuestra vida personal, los grandes virajes y los acontecimientos más decisivos también están signados por esa fuerza de intensidad abrumadora que puede conducirnos tanto a la felicidad como a la ruina. Y así el mito, la religión, la ciencia, la historia, el psicoanálisis son a menudo interpelados como referentes fundamentales para nuestro saber acerca del origen y la naturaleza de las pasiones.

En este texto hemos tratado de enfrentarnos con un interlocutor que acaso pueda dar una de las respuestas más profundas e inesperadas a esa pregunta inagotable acerca de la pasión: el lenguaje. En el alba

del acontecer humano, a partir de su encuentro con el
fuego, el hombre va profiriendo los vocablos que se
refieren a su sentir primordial, grabando las podero-
sas huellas de un conocimiento asombrado y asombro-
so acerca de su propia experiencia. Desde la inmediatez de su propio cuerpo va erigiendo el mundo todavía indiferenciado de los sentidos, sentimientos, pasiones y pensamientos, entrelazados a través de vías misteriosas, que se relacionan entre sí.

Esta poderosa relación sigue reverberando a través de palabras que repican en lenguas lejanamente
emparentadas como campanas de catedrales sumergi-
das, llamándose unas a otras. Quien dice *kupet* en letón
refiriéndose al humo o el vapor está aludiendo
lejanamente, sin saberlo, al hervor de la *concupiscencia*
y la *codicia*, descendientes pasionales de la misma raíz
indoeuropea, **kwep*, de la que también se desprende
Cupido, el niño-amor –tan peligroso como inocente–.

Con el correr del tiempo se desgajan y distinguen
las nociones, se analizan en fragmentos los movimientos interiores que antes eran un solo impulso: pasan a
ser metáforas en la conciencia del hombre moderno
aquellas que eran realidades manifiestas para el hombre anterior. La misma palabra *palabra* significa originariamente *parábola*, recorrido de un objeto que se arroja
desde el sí mismo hacia un punto en el espacio –es decir, el trayecto mental que va desde una cierta vivencia
hacia su imagen verbal–. Cuando decimos *amor* no sospechamos la referencia básica al amamantamiento que
encierra la palabra en sus orígenes; cuando decimos
envidia soslayamos la referencia al ojo maligno que tiene el término en sus comienzos ancestrales. Quienes

remontamos el curso de la palabra en la historia asistimos a una suerte de teatro de sombras que de pronto se animan y transmiten oráculos olvidados pero extraordinariamente vivientes. Están cargados de reminiscencias pero también de advertencias y adivinaciones; son pasados y futuros al mismo tiempo, como lo es el lenguaje desde su eterno presente.

Escribir este libro –que nos ha sido, de algún modo, dictado desde nuestra escucha al lenguaje mismo– ha constituido para nosotros una fuente de deslumbramiento y de permanente asombro. Asombro ante una enseñanza milenaria y desatendida, fresca y misteriosa, accesible y remota al mismo tiempo. Los etimólogos están demasiado enfrascados en sus búsquedas formales para percibir la enormidad del material que manejan; los filósofos y psicólogos, demasiado inmersos en sus propias teorías para escuchar al habla que habla, según Heidegger. No sólo habla: relata, adivina y predice –si se sabe escucharla–.

Ésta es entonces una invitación para que asistamos a esa vida escondida de las palabras que nos están hablando desde lejos, encontrando sólo la resistencia de los que no desean escucharlas. Ojalá que a través de este texto el lector pueda hacer suyo este viaje por el laberinto del lenguaje, en el centro del cual acaso no habite el Minotauro, sino nuestro propio y oculto corazón.

2. La etimología como nueva hermenéutica

Desde la perspectiva que se nos ha aparecido a lo largo de este trabajo, la etimología puede ser considerada como una suerte de arqueología de la sabiduría colectiva, sumergida en la lengua. El viaje de rescate etimológico, en efecto, puede compararse a una exploración que se orienta a encontrar joyas escondidas entre ruinas. Está guiado e iluminado por la contemplación de la invencible fuerza del lenguaje atravesando las catástrofes de las civilizaciones destruidas y preservando la memoria de aquellas consonantes seminales que esparcieron las primeras metáforas de la historia humana.

La escucha del lenguaje significa entender y aceptar –por muy misterioso que esto nos resulte– que antes de hablar entre nosotros, y como condición esencial para poder hablar entre nosotros y con nosotros mismos, nos comunicamos y nos sentimos comunicados con el lenguaje, que es el don más alto y profundo que se nos ha dado como especie. Walter Benjamin lo dice perentoriamente: "La respuesta a la pregunta ¿*qué comunica la lengua?* es, por lo tanto: la lengua se comunica a sí misma". Vivimos interrelacionados por un campo común que nos reúne: el lenguaje es el símbolo más poderoso que emana de él y que nos conforma como cultura, pueblo, multitud o comunidad unida por la amistad. De ese lenguaje que hablamos colectivamente se apropia el individuo modificándolo en la medida de su creatividad: unos lo hacen imperceptiblemente, otros, grandes genios verbales, producen grandes transformaciones; pero cualquiera sea el caso, es imposible hablar un lenguaje sin modificarlo, ya que todos sus hablantes acarrean una característica irrepetible: el estilo es el hombre. Porque el lenguaje, como la impresión digital, como el genoma de cada una de nuestras células, es distinto en cada ser humano. Las

lenguas no evolucionaron ni se crearon a saltos mila-
grosos: fueron resultados de cambios imperceptibles
introducidos por imperceptibles seres humanos –aun
analfabetos–.

Un grupo humano que tiene un lenguaje común
es una entidad real que constituye un "campo", que
tiene un cuerpo y un alma; su cuerpo es la cultura
"material" común; su alma, su psiquismo colectivo,
está plasmada en el lenguaje común. El lenguaje, que
trasciende a los individuos, no tiene existencia autónoma, no flota en el aire: está encarnado en una comunidad, que también trasciende a los individuos. La conciencia plena de estar insertos en el lenguaje como una
entidad que nos unifica y trasciende –no en vano decía
Merleau-Ponty que antes que un objeto, el lenguaje es
un ser– y la contemplación del lenguaje desde esa perspectiva producen una transformación notable en nosotros. Pero este cambio es imposible de lograr cuando las palabras son "usadas" exclusivamente en provecho de nuestra información o comunicación, explo-
tadas al servicio de nuestras necesidades, sin tener en
cuenta el misterio y la historia que residen en cada una
de ellas. Por algo dice Benjamin que la primera caída
consiste en considerar la palabra meramente como un
medio o instrumento de comunicación.

La etimología, que es una forma de escucha del lenguaje en sus inicios y su evolución, es una ciencia
interpretativa que exhibe varios modelos metodológi-
cos. Aun cuando en el siglo XIX adquiere el sesgo posi-
tivista propio de la época, sus posibilidades actuales –y
éstas son las que nos interesan– la hacen confluir con
los intereses de la semiología contemporánea: explora-

ción y hermenéutica de un saber profundo, muchas veces olvidado, encerrado y enterrado en el lenguaje.

Podríamos decir que así como el psicoanálisis indaga los conflictos del paciente a través de un retorno inducido al paisaje y la historia de la infancia, sepultados en el inconsciente, el lenguaje, y en particular las palabras, tienen un origen que el olvido –esta vez, el olvido colectivo– reprime. Se trata de un origen que para ciertas palabras que expresan nociones fundamentales conviene revelar, si queremos superar bloqueos individuales y sociales en el orden del conocimiento, de la comunicación y de nuestra relación, como individuos y comunidades hablantes, con nuestra evolución como seres humanos, con nuestro pasado histórico específico y con los avatares de nuestra propia experiencia personal.

Si pensáramos en términos terapéuticos, no se trata sólo de curar mediante la palabra, como lo propone el psicoanálisis, sino de curar la palabra misma con que tratamos de curar, es decir cuidarla, examinar sus repliegues y sus trampas, sus ambivalencias, sus significaciones ocultas en el tiempo. Naturalmente, no pretendemos reconstruir esencias a través de un camino sustancialista. Antes bien, la idea es averiguar si el saber del que emanaron en un primer estadio los términos de la pasión guarda algún mensaje viviente y desconocido para nosotros, y examinar, al mismo tiempo, cuáles fueron las circunstancias –históricas, sociales, epistemológicas– que han nublado para nosotros ese conocimiento.

Comprobamos así que muchas palabras tienen en su comienzo significados ocultos y a veces contradictorios con sus significaciones sociales actuales. Pero seamos claros: el estudio etimológico no es un camino hacia el pasado, un retroceso. No se trata de recuperación sino de reinterpretación. Es el descubrimiento del sentido de las raíces que persisten transformadas en las palabras de ahora. Es el descubrimiento de lo que está oculto, de lo que somos y no sabíamos. Las raíces de las palabras no están atrás, en el pasado: están en lo profundo del aquí y el ahora. Si las palabras hubieran dejado sus raíces en el pasado, se habrían secado, habrían muerto. La etimología, que consiste en rastrear las raíces, significa desenterrarlas, exponerlas al aire. Y esta operación debe hacerse con sumo cuidado: como pasa con las plantas, el *shock* que pueden sufrir al quedar expuestas inapropiadamente puede ser fatal.

Actualmente, por ejemplo, nos negamos a advertir que detrás de la rutina semanal del *viernes* se esconde nada menos que el insondable rostro de *Venus* la hermosísima, también presente y subterránea bajo las enfermedades *venéreas* y el *veneno*, primer nombre del filtro de amor: de allí el simbolismo erótico de la serpiente. De igual modo, nos negamos a ver el parentesco entre *febrero* y *fiebre*; *octubre, noviembre* y *diciembre* están disociados del *ocho*, el *nueve* y el *diez* con que culminan en el calendario romano. Un poderoso tabú nos impide reconocer que la palabra *parientes* significa literalmente *los que están pariendo*. La *semilla* que plantamos tiene que ver con el *semental*, así como el *semen* tiene que ver con la *semántica*: a través de la metáfora de lo germinal, la lengua relaciona lo vegetal, lo animal, lo biológico y lo epistemológico, en un solo eje de equivalencias que en general se nos escapan. El entra-

mado que reúne todas estas asociaciones es arcaico,
pero la etimología nos permite una lectura que actua-
liza sus significados y les da un nuevo sentido.

Y los pasajes o deslizamientos que los significados sufren nos hablan de una dinámica, a veces progresiva y a veces represiva, cuya interpretación arroja
luces sorprendentes sobre aquello que hemos decidido colectivamente olvidar, ignorar o volver a recordar,
y que atañe muchas veces a lo más profundo o lo más
intenso de nuestras vidas. Dicho de otro modo, la pregunta relevante sería: ¿qué ha ocurrido, desde el primer significado, en el camino del olvido y en el de las
transformaciones? Los poetas muchas veces intuyen,
desde el cuerpo sonoro mismo de una palabra, sus
posibles irradiaciones hacia las raíces primitivas. Con
ellos, como ellos, la etimología puede imaginar al lenguaje como una suerte de *phylum* cuya presencia total
resulta recobrable a través de las investigaciones y de
aquella razón apasionada de la que hablaba Spinoza.

Escribimos con la cautela propia de los explora-
dores, sabiendo que a veces nuestras afirmaciones po-
drán resultar chocantes a helenistas, romanistas,
filólogos o psicoanalistas cuyos dominios estamos in-
vadiendo con eventuales incursiones heterodoxas: esperamos que nos corrijan y trasciendan en sus
disensiones. Escribimos a contracorriente, sabiendo que
la noción de origen se ha vuelto sospechosa en una
cultura que se quiere fragmentaria y ajena a la idea de
proceso o de progreso. Pero aunque lo que escribimos
puede causar desconcierto, nos dirigimos a aquellos
que estén preparados a la apertura de nuevas puertas,
en particular, aquellas que nos comunican más profun-

damente con la conciencia de nuestro propio lenguaje. Escribimos también a la sombra formidable del lenguaje, confiando en su sabiduría y su fuerza, que es también la del género humano y la del vasto grupo lingüístico al que pertenecemos. Nuestros posibles errores de interpretación no pueden alterar el propósito de estas páginas, que quieren comenzar a interrogar, de una nueva manera, una fuente inagotable de conocimiento y de sorpresas, y dejar el paso abierto a quienes quieran proseguir este camino, que por su riqueza y vastedad nunca nos ha de defraudar.

3. Un poco de historia

> *Llamáis lenguas muertas al lenguaje de los griegos y de los latinos. Pero de ellas se origina lo que en las vuestras pervive.*
>
> Schiller

A principios del siglo XX, el creador de la lingüística contemporánea, un suizo modesto y genial llamado Ferdinand de Saussure, dijo que el lenguaje es un sistema posible porque sus estructuras funcionan inconscientemente. Es decir, tal es la complejidad de las operaciones que nuestro cerebro debe computar antes de que llegue a producirse la frase más simple, que no es posible imaginar que estos mecanismos puedan aprenderse o apropiarse mediante un proceso consciente. Miríadas de movimientos neuronales y de mecanismos psicofísicos son necesarios para pronunciar o interpretar la más sencilla frase: misterio al que nos acostumbramos pero que no deja de ser impenetrable.

Como lo señala George Steiner, al final de su vida, Thomas Huxley, el mayor defensor de Darwin, escribió en sus diarios: "Sé que no hemos comprendido nada del lenguaje". Tras el triunfo de la teoría darwiniana de la evolución, y luego de una vida consagrada a celebrarla, Huxley, al que apodaban el mastín de Darwin, tuvo la lucidez y la honestidad de advertir que todo ello no había aportado nada al conocimiento del origen de la lengua. El lenguaje escapa a cualquier modelo de evolución genética molecular, es su padre y su madre al mismo tiempo. Es ésta una estimulante humillación: el hombre –ese animal de la palabra, como lo definiría Aristóteles; ese sonido de pie, como lo llaman los guaraníes– no sabe cómo la palabra ha venido a insertarse en su realidad; la palabra, que nos distingue como especie, permanece todavía inaccesible para nosotros en su origen.

Pero si bien no podemos captar en su decurso biológico la misteriosa instalación del lenguaje en nuestro desarrollo como seres humanos, sí podemos preguntarnos y contestarnos por el origen y la suerte de las palabras específicas que han decidido muchas veces el curso de nuestra vida.

La noción del indoeuropeo a la cual recurrimos en este trabajo nace a fines del siglo XVIII y principios del XIX, cuando comienzan a plantearse, con Darwin, los problemas relacionados con la evolución de la especie. William Jones, el orientalista y jurista inglés del siglo XVIII, que fue educado en Oxford y vivió en Calcuta, estableció la hipótesis del indoeuropeo fundándose en correspondencias de palabras del léxico básico, como las que designan las nociones de parentesco. Jones tuvo la intuición de que las coincidencias que advertía entre el sánscrito, el griego, el latín y otras lenguas occidentales no podían ser fortuitas: así nace una estrella que brillará muy alto en el horizonte del saber humano. Por ejemplo, la palabra que significa hermano era en sánscrito *bhratar*, en gótico *brothar*, en griego *phrater*, en latín *frater*. Estas coincidencias no podían ser casuales: apelaban a un origen común, a un lenguaje hipotético del que no quedan fuentes escritas, y que se llamó, por su posible ubicación geográfica, el indoeuropeo.

Hace más de seis mil años, este proto-lenguaje –según una hipótesis plausible– se desarrolló al este de Anatolia, hoy Turquía. Fue extendiéndose y ramificándose a través de sucesivas migraciones, hacia oriente, hasta la India e Irán, y hacia occidente, hasta todos los rincones de Europa: nuestras lenguas europeas –salvo el vasco, el finlandés y el húngaro– derivan de esta rama occidental.

Nuestros orígenes lingüísticos, por lo tanto, serían asiáticos, como son asiáticas, también, las lenguas semíticas. El danés Rasmus Christian Rask y el alemán Franz Bopp establecieron la gramática comparativa, por medio del acercamiento del persa, el sánscrito, el altogermánico, el latín y el griego. Del indoeuropeo así reconstituido puede calcularse un léxico de cerca de dos mil palabras. Más tarde, los etimólogos del norte de Europa (ante todo, alemanes y daneses en un comienzo) consiguen aislar un número relevante de raíces fundamentales confluyentes, de tal modo que la hipótesis de un tronco común de todas ellas se vuelve una ecuación explicativa obligatoria, confirmando la

intuición y los trabajos iniciales de Jones. Se trata de
un descubrimiento en cierto modo comparable a la for-
mulación biológica del ADN; pero lo que aquí estamos reconstituyendo es el código cultural de un grupo
humano del cual descendemos, el grupo que somos.

Estrictamente hablando, el *etimon* significa, antes
que la esencia, el sentido literal de un vocablo, sentido
que luego adoptaron los gramáticos para trazar la historia de un término. La etimología nos brinda el punto
de partida, muchas veces sorprendente, sobre el cual
se edifican los sucesivos sentidos de una palabra fundamental. A partir de esta base, la lexicología, la filolo-
gía, la historia, la literatura y la filosofía nos van pro-
porcionando los materiales que atestiguan y explican
los cambios de significados e interpretaciones con que
hoy comprendemos y empleamos los términos relati-
vos a los trabajos más profundos de nuestra psiquis.

Es preciso advertir que en este texto no sólo nos
remontaremos a las raíces de las palabras que estudiamos, sino que también queremos apelar, cuando la ocasión y la claridad lo requieran, a la comparación entre
diversas lenguas, para sacar a luz las diferentes connotaciones que una misma palabra original puede alcanzar en ellas; también investigaremos el contenido
de las metáforas que surgen en las lenguas particula-
res a partir de una raíz determinada. Para totalizar
nuestras investigaciones serían necesarios conocimien-
tos más extensos que aquellos con los que contamos;
por ejemplo, una mayor familiaridad con las lenguas
semíticas. En particular, el hebreo, al que nos referire-
mos en algunas ocasiones, resulta una lengua fundamental, porque para los indoeuropeístas, el hebreo ocu-

pó un lugar central, ya que la cultura griega y la religión judeocristiana eran en su opinión el núcleo originador de la cultura europea. Además, hoy día se hipotetiza que las lenguas indoeuropeas y las semíticas forman parte de una superfamilia, antes denominada *nostrático* y ahora preferentemente *familia afroasiática*. Pero nos encontramos en el estadio inicial, evidentemente pre-teórico, de nuestra tarea, y confiamos en que nuestro campo se irá reforzando en el futuro con la colaboración de los estudiosos interesados en estos desarrollos.

No desdeñaremos, por cierto, la compañía de quienes nos preceden como buceadores en el significado y origen de las palabras, y convocaremos a Platón o a Aristóteles, a Freud o a Benjamin, a Spinoza o a Kant, y a otros poetas o filósofos, cuando su mirada nos resulte necesaria para entender la evolución de un determinado significado. Pero queda claro que el oráculo central que estamos interrogando no es un canon, ni mucho menos el miembro de un canon establecido, sino una fuente inextinguible e inexpugnable, el lenguaje mismo, que tantos se precian en interpretar y dicen reverenciar sin haberlo jamás escuchado humildemente, profundamente, en la sucesión de las olas contradictorias e intensísimas que acarrean, decantada, una sabiduría de milenios.

Este interlocutor primordial proviene de una misteriosa floración inconsciente y colectiva, como la definía Saussure, tan ajena a las ideologías como a las filosofías, y semeja una vasta esfinge que yace tendida hace siglos esperando una interrogación orientada a la sabiduría profunda y riquísima encerrada en múltiples estratos de experiencia, tanteos de reflexión, buceos expresivos del grupo humano emergiendo a la conciencia. Estas reflexiones apuntan a desbrozar el terreno e indicar los primeros senderos de esa interrogación, senderos necesariamente aventurados pero también, a nuestro juicio, tan necesarios como deslumbrantes.

Es verdad que no cabe apelar al lenguaje sin mediaciones tales como los diccionarios clásicos, como lo haremos, y sin convocar la paciente búsqueda filológica que nos precede desde hace siglos. En la exploración de las misteriosas galerías en la que nos aventuramos, habrá pistas falsas, equivocaciones y derrumbamientos como los que siempre ocurren cuando se avanza en territorio desconocido. Se desprenderán muchos terrones de polvo de aquellos que interrumpen, obstruyen y empañan el camino: pero esto no debilita nuestra certeza de que al fondo se encuentra el oro puro y vibrante de la densísima experiencia lingüística de los orígenes. Acaso estemos abriendo, sigilosamente, una puerta por la cual pasará una nueva visión del lenguaje, una nueva comunicación de nosotros mismos con él. De un modo semejante a lo que dice Lou Andreas-Salomé acerca de los ricos territorios desconocidos sobre los que avanza el psicoanálisis, acaso podamos experimentar "esta radiante sensación de un ensanchamiento de la vida a través del tacto, del contacto con las raíces por las cuales ella se sumerge en la totalidad".

2

Las primeras pasiones

1. De la cólera en los tiempos del amor

Eis

Al remontar el cauce de los idiomas actuales hasta las lenguas primitivas, preguntándonos por los primeros vestigios de palabras referidas a la pasión, salta ante nuestros ojos un manantial de sorpresas. No existe, en realidad, una raíz lexical indoeuropea de la que derive unívocamente un término equivalente a *pasión*, y la razón que alegan los especialistas para este hueco en el vocabulario originario es que a ese nivel de la historia no sólo no existía diferenciación entre emoción y pasión, sino ni siquiera las nociones abstractas de "pasión" o "emoción" tal como hoy las percibimos. Sí hay términos para nombrar pasiones específicas como la ira (*ghrem-*), o para desear vehementemente (*las-*), amar (*leubh-*), odiar (*od-*).

De algún modo, la noción de pasión es relativamente moderna, y se va construyendo, como veremos, a través de intrincados meandros, como si fuéramos atravesando múltiples túneles hacia una veta tan poderosa como escondida. Hay, sin embargo, una raíz

indoeuropea, sumamente rica en derivaciones
morfológicas y semánticas, que nos acerca a la esfera
de lo propiamente pasional.

Los diccionarios etimológicos que establecen y
enumeran, con sus significados, las raíces del indoeuropeo, consideran unánimemente que la raíz *eis se
adscribe a términos relacionados con la pasión. Como
veremos, no es la única; otras raíces comparten con ella
significados que normalmente asignamos a la pasión.
Pero *eis es sin duda la más diversa y misteriosa, la
que más nos desafía en la lectura de sus sentidos plu-
rales, de una complejidad enigmática, que irradia una
fascinación comparable al desciframiento de un código enterrado bajo muchos palimpsestos.

Estos significados, impresos sin lugar a dudas en
palabras que descienden todas, fonéticamente, de esta
misma raíz, abarcan nociones tan diversas como el
movimiento y la velocidad, la presencia de lo sagrado,
la sexualidad (en particular la femenina), la ira y la inspiración poética. En lo que sigue, iremos desenvolviendo la génesis y las transformaciones de estos significados en las diversas lenguas, así como su reflejo en las
lenguas contemporáneas. La pregunta que queremos
entonces formularnos –y que se nos impone, en realidad– es: ¿cuál sería el camino que pudiera vincular
específicamente lo pasional con lo dinámico, lo sagrado, lo sexual, lo iracundo y lo poético? ¿Y es legítimo
–o posible– establecer relaciones significativas entre estos términos, hermanos provenientes de una misma
arqueología primitiva?

Nuestra metodología, como toda metodología que
se inaugura con la presencia de un nuevo campo, será

cautelosa y estará sometida a tanteos y pruebas experimentales. Es decir, recorreremos las diversas definiciones de las palabras que contienen esta raíz, los contextos o las citas en donde aparecen en los diccionarios o repertorios clásicos, y las posibles conexiones que pueden establecerse entre ellas mediante nuestra propia reflexión, recurriendo a veces a pasajes relevantes de pensadores, oriundos en general de las culturas y lenguajes que dieron a luz estas enigmáticas coincidencias.

Pero algo debe quedar claro desde el comienzo: la tarea de tratar de entender cuál es o podría ser el motivo profundo de proximidad o de relación mutua entre las nociones e imágenes –aparentemente muy diversas– contenidas en las palabras que arrancan de la misma raíz es semejante en cierto modo a la tarea del médico que procura establecer, desde diferentes síntomas, la etiología de la enfermedad que aqueja a su paciente, o a la del psicoanalista que traza puentes de sentido y origen entre las fantasías y los sueños que se le ofrecen desde el diván. Sólo que aquí no se trata de casos o pacientes individuales: cualquiera sea nuestra teoría de la organización del lenguaje, estaremos de acuerdo en que los distintos significados asociados a las palabras vigentes en una comunidad emergen y se establecen desde una suerte de pacto colectivo en donde los caprichos individuales muy poco cuentan.

Es allí donde debemos enfocar nuestra atención: quien habla a través de este curioso juego de metáforas no es un escritor célebre, un filólogo genial, un filósofo clásico, un escritor sublime ni tampoco un psicoanalista famoso. Quien va creando y desenvolviendo esa

madeja enigmática y multicolor de sentidos diversos
adscriptos a una misma raíz es sin duda el conjunto de
hablantes de una misma lengua, llámese éste mente
colectiva, proceso social inconsciente o *mandala* primordial. Los diccionarios, con sus previsibles falencias y
arbitrariedades, recogen este saber y lo expresan a su
modo. Pero en particular cuando las mismas metáforas y connotaciones, en apariencia inexplicables, em-
piezan a rebotar, como veremos aquí, de lengua en lengua, de definición en definición, se da de pronto un
potente llamado de atención que en general no se ha
recogido hasta ahora, y es ése el terreno que empeza-
mos a vislumbrar y a desbrozar en estas líneas.

La raíz *eis* aparece relacionada en primer término
con verbos que designan impulso, ímpetu, movimiento: acaso no esté de más apuntar que nuestro verbo *ir*,
descendiente del latín *ire*, tiene como antepasado una
raíz *ei*, probablemente emparentada con la que nos
ocupa ahora.

Eis señalaría entonces esa energía en el desplazamiento que fue necesaria a los pueblos nómades que
difundieron el indoeuropeo por Asia y Europa. Pero *eis*
designa un movimiento ante todo *veloz*. Benveniste, el
gran estudioso francés de la cultura indoeuropea, indica que en griego y en védico las palabras que derivan
de esta raíz –*hiarós, isirah*– significan lo vivo, vigoroso y
alerta, "cualidades del orden de lo divino". Pero lo viviente y alerta se conecta también con el movimiento y
la velocidad que caracterizan al viento, al caballo, a una
bailarina o a las banderas, palabras todas que en estos idiomas, según las citas de Benveniste, presentan
epítetos que llevan la misma raíz *eis*.

También ésta aparece en palabras que describen el espíritu ardiente del que ofrece sacrificios. En resumen, la raíz expresa, a través de sus diversas ramificaciones, lo viviente y fuerte, lo dinámico y veloz, con fuerza que deriva de los dioses y por lo tanto es sagrada. Esa intensidad del movimiento que resplandece y deslumbra en la rapidez de los caballos, de las bailarinas y de los estandartes, esa aceleración irrefrenable que los posee, parece ser uno de los primeros indicios indiscutibles de la presencia de la pasión, su sello inconfundible y necesario[1].

Aquí cabría profundizar –pues no parece obvia– la relación entre el movimiento, lo veloz y lo sagrado, ya que, como hemos visto, Benveniste postula la celeridad y el dinamismo contenidos en las derivaciones de *eis* como atributos divinos. La primera observación es que la velocidad es prerrogativa de la divinidad entre los antiguos. Y podríamos preguntarnos, al pasar, si la velocidad misma no es una pasión, una de las mayores en el establecimiento de la llamada conquista del hombre sobre la naturaleza, la confirmación de su ambición y condición de su poderío sobre el espacio de la tierra. Recordemos que toda la ciencia occidental se despliega a partir del intento de explicar la noción del movimiento en relación con el espacio físico y geométrico. El origen de la ciencia moderna estuvo

---

[1] Los diccionarios que estamos empleando son el de Watkins, el de Roberts y Pastor, y el vocabulario de raíces indoeuropeas de Charles Buck. También, naturalmente, consultamos los estudios de Émile Benveniste y los diccionarios etimológicos griegos de Chantraine y Boisacq, así como el de Ernout y Meillet para el latín.

focalizado en el Renacimiento en la cuestión del movimiento de los astros.

Cabe recordar las palabras de Platón en el *Cratilo*, el diálogo donde se pregunta por el origen del lenguaje. En un pasaje de este diálogo se discute la etimología de *theoi*, palabra que en griego significa *dioses*. Según recuerda Platón, para los bárbaros, los planetas eran dioses, como lo atestigua la nomenclatura que persiste hasta nuestros días: Júpiter, Marte, Venus, Neptuno, etc. Y una propiedad observable de estos planetas era, entonces como ahora, la de atravesar corriendo el cielo de la noche, como lo hacía el carro del Sol durante el día. En efecto, el verbo *thein* –que el *Cratilo* presupone relacionado con *theoi*– significa, precisamente, *correr*. Aunque mucho se discute el valor de algunas afirmaciones del *Cratilo* –tradicionalmente consideradas, en su mayoría, irónicas o por lo menos ambivalentes–, es muy probable que haya aquí –a pesar de tratarse de una etimología popular– una señal no desdeñable de la concomitancia que se quería establecer entre lo veloz y lo sagrado.

Esta señal se ve indirectamente corroborada en otro fragmento del mismo diálogo en que la velocidad es también celebrada por Sócrates, cuando establece que las palabras que designan conocimiento, sabiduría y bien supremo se refieren siempre a cosas que pueden experimentar movimiento y renovación. "El sentido de la palabra *sophia* [sabiduría] es alcanzar *el movimiento*. *Agathon*, el bien, significa lo que es admirable *por su rapidez* [subrayado nuestro]." Y añade: "Los que creen que todo está en movimiento, suponen que la mayor parte del universo no hace más que pasar; pero que hay un principio que va de una parte a otra del mismo, produciendo todo lo que pasa, y en virtud del cual las cosas mudan como mudan; y que este principio es de *una velocidad* [subrayado nuestro] y una sutileza extrema. ¿Cómo, en efecto, podría atravesar en su movimiento este universo inmóvil, si no fuese lo bastante sutil para no verse detenido por nada, y lo bastante rápido para que todo estuviese con atención a él como en reposo? Este principio gobierna todas las cosas penetrándolas"[2].

Cuando examinamos la descendencia semántica de *eis* en las lenguas clásicas, en particular, en griego, afloran no pocas sorpresas. Por ejemplo, un vástago de *eis* en griego es *hieros*, que significa lo sagrado, lo tocado o invadido por los dioses. Como ocurría en los ejemplos de las lenguas orientales que ya hemos citado, también aparecen lo vivo y ardiente, lo vigoroso y veloz, cualidades todas percibidas como divinas, pero que parten de fuertes experiencias corporales. Esta raíz *hieros* aparece (con sus equivalentes en otras lenguas romances, como el francés, el italiano y el portugués)

---

[2]   Acaso fuera interesante conectar las palabras de Sócrates con las teorías modernas donde campea la noción de una energía que unifica y expande el universo, como en la propuesta del *Big Bang*. También aparece en las fulgurantes intuiciones contenidas en el *Eureka* de Edgar Allan Poe y en la obra de Teilhard de Chardin, en la que un principio cósmico va centrifugando y divinizando permanentemente el universo. Pero sólo un estudio serio y detallado puede dar cuenta de tales coincidencias. Sólo queremos hacer notar aquí que en este texto Sócrates parece haber ido adelantando algunas de las más interesantes teorías y utopías que animan el pensamiento moderno, referentes todas a un principio dinámico –divino o natural– que motoriza al universo.

en términos como *hierático* (sagrado), *hierofante* (sacerdote griego que iniciaba en los misterios de Ceres), *jerarca* (jefe superior eclesiástico), *jerarquía* (orden o gradación de personas o cosas) y *jeroglífico* (signo sagrado esculpido).

Es interesante notar que actualmente el calificativo *hierático* connota cierta inmovilidad o rigidez conforme, supuestamente, a la dignidad de lo eclesiástico, mientras que en su origen la palabra designaba las cualidades precisamente opuestas: lo vivo, lo vigoroso y lo veloz. La dimensión de lo divino, en la época del animismo, en la que imperaba un sentimiento de fusión con la naturaleza, no se plasmaba en estatuas; los espíritus se movían por los bosques y los mares –como los caballos, los bailarines y los estandartes citados por Benveniste– en vez de encerrarse en templos, inmovilizados como momias. Eran fuerzas jóvenes y vivientes. Luego, con el advenimiento de la cultura clásica, hay una lenta sedentarización de los dioses, que aun cuando preservan su dinamismo, se representan con efigies. Aristóteles patenta el Motor Inmóvil. El monoteísmo impone un único dios monumental –más poderoso que veloz– al que se erigen templos y estatuas formidables[3].

---

[3] De la misma raíz *is(d)ro* se derivan en idiomas célticos (irlandés *iarn* o galés *haiarn*, que corresponden al inglés *iron*), palabras que significan *hierro*, metal que era considerado sagrado, así como quienes lo trabajaban eran intocables. Algo similar ocurre en los idiomas germánicos: el nombre del hierro en alemán, *Eisen*, y en holandés, *ijzer*, nos señala que estamos en la ruta del **eis* original. En *La rama dorada* de Frazer, hay un capítulo muy interesante que trata acerca de las razones por las cuales el hierro era considerado

El *eis* indoeuropeo señalaba la concomitancia de lo veloz, de lo divino y de lo pasional porque los dioses, fuerzas animadoras del cosmos, son necesariamente veloces, con la velocidad de la luz, y la velocidad conlleva en sí misma esa intensidad indetenible que es también un rasgo fundamental de la pasión. Pero también podríamos preguntarnos si no hay, aparte de la velocidad, otras concomitancias entre lo sagrado, *hieros*, y la pasión. En otras palabras, ¿qué podría tener de particularmente sagrado la pasión, de particularmente pasional lo sagrado? ¿Hay acaso pasiones que requieren necesariamente la posesión divina para estallar y manifestarse?

No es un azar, por cierto, que del mismo *eis* del que desciende *hieros* en griego descienda también la *ira* latina, propia del Dios vengador del Antiguo Testamento, palabra que hemos heredado prácticamente sin modificaciones. La *Ilíada* arranca con la *menis* o cólera de Aquiles –y la cólera es la pasión por antonomasia en la tradición homérica–. Pero se trata (y esto es crucial) de una ira inspirada por los dioses y cantada por las Musas, la ira de la justa venganza que identifi-

tabú en muchas culturas: en algunos casos, se trata de alejarse de un metal del que se sabe que puede producir la muerte. Los hebreos tenían prohibido usar instrumentos de hierro para la construcción del Templo. Cabe también pensar que en tiempos primitivos la resistencia de los metales al fuego pudo haber engendrado ante ellos un temor y respeto reverenciales, que se comunicaban con el sentido de lo sagrado. Es curioso ver, entonces, que de una misma raíz parecen desprenderse, en Asia, las veloces bailarinas y, en Grecia, los hieráticos oficiantes de lo sagrado; en el sur, el ímpetu y, en el norte, el metal; pero los unos y los otros entendidos como expresiones de lo divino.

ca y justifica al héroe como tal, defensor no sólo de su propia vida individual, sino de la integridad y supervivencia de su grupo y de su estirpe. La ira, como protección contra la amenaza de sumisión total al enemigo, y la venganza, como reintegración de la plenitud de la libertad propia del héroe, son el derecho y el deber constitutivo del señor en los relatos homéricos y legitiman su poder: así se justifica la cólera que lo lleva a la venganza y a la destrucción total del enemigo.

Aquí es necesario tener en cuenta que, más allá de la posible pérdida de control, es en el centro de la pasión colérica en donde flamea el sentido subjetivo de la propia identidad del héroe. Dice Vegetti Finzi, hablando de la cólera de Aquiles: "La percepción primera y aún incierta de sí mismo como sujeto unificado de acción, si bien precariamente, se produce en el fuego de la emoción colérica, en la reacción violenta y agresiva a la amenaza que viene del otro". Es notable que Cicerón diga –recordando a Platón– que si bien las pasiones pueden considerarse enfermedades, es tan difícil considerar a la ira una enfermedad como a la misericordia[4].

Interesa observar que Ernout y Meillet, autores de un diccionario etimológico latino de mucho prestigio, señalan que a veces, en la poesía de Virgilio y Horacio,

---

[4] Naturalmente, entraba también allí el deseo de expansión y la sumisión del enemigo como esclavo, algo que a veces se soslaya en la idealización de la ira. Ciertos autores subrayan asimismo que para los griegos, la muerte del héroe les permitía regresar a sus vidas pacíficas –el héroe puede ser visto entonces como un chivo expiatorio–. El impacto de la muerte de la víctima provoca una catarsis que reconcilia y elimina el apetito de violencia.

ira no significa específicamente cólera sino pasión o deseo violento. Esto implicaría que, probablemente, la acepción del término se haya vuelto más amplia con el correr del tiempo. Pero es evidente que en los comienzos, la pasión por antonomasia, aquella que se entroncaba directamente con el movimiento y velocidad de los dioses, fue la ira, y tal vez, luego, lo incontrolable por excelencia, para bien y para mal –así como modernamente suele considerarse que la pasión por antonomasia es el impulso amoroso sexual–.

No sólo los griegos privilegiaron a la ira como la pasión por excelencia. Como ya lo indicamos, los hebreos la muestran en el Antiguo Testamento como uno de los atributos más temibles de Yahvé, aquel que guía su arrasadora venganza contra los infieles y su celoso enojo contra su propio pueblo. Recordemos que la distinción entre *ira* y *cólera* se da claramente en nuestra lengua, donde como atributo divino es usada más comúnmente la primera. Descendiente del *eis* indoeuropeo, la ira reclama su derecho a ser considerada como la pasión suprema entre los héroes de la *Ilíada*, mientras que en lenguas y culturas tipológicamente distintas, como el hebreo, es señal inconfundible del poder de una deidad formidable. Conceptos como la ira pertenecen a esferas religiosas relacionadas con la posesión o el éxtasis, y sólo luego se cargan de negatividad o vituperio moral.

Pero los vástagos de *eis* no se agotan en lo dinámico, lo veloz, lo sagrado o lo iracundo. Hay otra derivación de *eis* en griego, representada por *ois-tros*, que los diccionarios definen como delirio profético, estro o inspiración, deseo vehemente, locura, aguijón y tábano. *Oistrao* es estar furioso; *oistrelateo* es poner furioso, excitar la pasión. Tomado en préstamo por el latín, encontramos *oestrus*: estímulo que inspira a los poetas, frenesí, tábano, moscardón. En general, se explica la sinonimia entre la inspiración y el tábano por la furia o locura que pueden provocar las picaduras de los tábanos, particularmente en los caballos; y ya se sabe que la locura es muchas veces considerada motor de la poesía. También –y esto es interesante– significa *estro* el período de ardor sexual en los mamíferos, particularmente las hembras, de donde proviene *estrógeno*, aquello que produce el estro. Estrógenos son las hormonas que controlan el desarrollo de los caracteres sexuales y órganos sexuales femeninos.

El diccionario Espasa nos informa que *estro*, aparte de significar, como en los otros casos, inspiración, ardoroso y eficaz estímulo con que se inflaman, al componer sus obras, los poetas y artistas, tábano o moscardón, es la palabra que en fisiología designa al orgasmo o crisis de excitación venérea. Curiosamente, no se menciona aquí, como lo hace el diccionario de María Moliner, la naturaleza del estro como preponderante en las hembras. Definiciones semejantes dan los diccionarios ingleses, y en idiomas más lejanos encontramos también correspondencias: así, en lituano *oistra*, *aistra* significan pasión violenta.

Aquí nos asalta la pregunta: ¿por qué la sexualidad femenina en particular es la que se ve representada entre los descendientes del *eis* primitivo? Podríamos aventurar que, en el mundo griego, mientras la ira parece señalar lo propio de los varones conquistadores y rapaces, justificados en la destrucción de los enemigos por un impulso irresistible proveniente de los dioses, en las mujeres la pérdida de control, el desenfreno vital, se encamina preferentemente a la liberación de la potencia genésica, orientada a la celebración de los dioses y expresada en los ritos dedicados a ellos: no es un azar, por cierto, el que no encontremos formaciones o coros mitológicos masculinos comparables a los formados por las Bacantes, las Sirenas, las Ménades, las Dánaes o las Amazonas. Aun cuando mezclado con la violencia en muchas ocasiones, el impulso primordial de estos grupos femeninos es el estallido colectivo de la pasión sexual.

Acaso conviniera bosquejarlo hipotéticamente así: una de las ramas descendientes del *eis pasional, genéricamente masculina, parece sustentar la *ira*, pasión destructiva que enfrenta y aparta al varón del otro, el diferente, el extraño, el enemigo, el rival, y lo confirma en su individualidad heroica; la segunda rama, el *estro* de los estrógenos y de la inspiración sagrada, habla del desencadenamiento pánico, la fusión con la naturaleza y los dioses, que se encarna arquetípicamente en la pasión de grupos de mujeres frenéticas.

Naturalmente, no cabe aquí exagerar un estereotipo, ya que la ira no está reservada sólo a los héroes épicos: no olvidamos, por ejemplo, a la memorable Medea. Y en cuanto a la mención del estro, dado que se trata del período en que el sexo femenino culmina explosivamente, no es raro que resulte más conspicuo y adquiera mayor visibilidad en la nomenclatura pasional. La rama de la ira se expande en la pasión europea y en las religiones de la cólera de los dioses; la de la sensualidad femenina, aun cuando ampliamente representada en el mundo helénico, como lo hemos visto, parece hallar su hábitat dominante en el erotismo religioso de la India. (No estamos aquí, por cierto, ante la presencia de arquetipos inmutables: en nuestros días, el varón guerrero es desplazado por el varón emprendedor y racional, y la mujer desencadenada de los coros griegos se vuelve la mujer intuitiva, a menudo objeto antes que sujeto sexual.)

En cuanto a la inspiración poética implicada en el estro, si nos atenemos a los textos llegados hasta nosotros, la tradición de todos los géneros parece alimentarse tanto de lo sagrado como de lo épico de las guerras masculinas que encarnan la ira. Asimismo, se nutre de lo lírico de las efusiones femeninas destinadas a celebrar eróticamente las potencias divinas del cosmos. Así, desde los himnos a Apolo y a Dionisios, pasando por la *Ilíada*, hasta los coros de las Ménades recogidos en las tragedias, el estro que se revela en la poesía clásica se nutre igualmente de los dioses, de la ira y de la sexualidad femenina desatada. Cabría preguntarse, sin embargo, por qué el *estro* reúne en especial, bajo un solo significante, lo femenino y lo inspiracional.

No parece ser un azar, dentro de esta línea de reflexión, el que las Musas sean deidades exclusivamente femeninas. Acaso en el proceso de actividad poética se haya identificado, por parte del poeta, una actitud receptiva –y activa– semejante a la de la mujer en el acto sexual: se dice "poseído por la inspiración" como se habla de una mujer "poseída" por un hombre. Es decir, el varón que recibe la inspiración poética –infundida por los dioses– debería desplegar la pendiente femenina, fusional y apasionada, de su personalidad, para poder plasmarla. Notemos, además, que el Eros desencadenado y el don adivinatorio no son rasgos atribuidos a las mujeres sólo en la Antigüedad: la terrible cacería de las brujas en el Medioevo las acusaba a la vez de adivinaciones infernales, de contacto con las potencias demoníacas y de una ninfomanía insaciable. La veneración que se sentía en el mundo clásico por las Sibilas o las Musas se ha evaporado aquí.

Pero aparte de las posibles distinciones genéricas, advertimos que la conexión de algunas de estas nociones adyacentes parece prolongarse hasta nuestros días. Observamos, por ejemplo, que el Eros y la ira siguen vinculándose naturalmente en las lenguas modernas: *volver loco* a alguien significa sacarlo de sus casillas o bien enamorarlo perdidamente. También se vinculan naturalmente la cólera y la atracción sexual en el lenguaje cotidiano: entre nosotros, *estar caliente* es una expresión coloquial que puede indicar tanto excitación sexual como intenso enojo. (No olvidemos que *fornicar* viene de *furnus*, horno en latín.) *Bramar* es un verbo que significa dar gritos de dolor o de cólera, pero también expresa el celo de los ciervos y otros animales salvajes.

Cupido, el niño dios de los ojos vendados, nos enceguece: decimos *ciego de amor* como *ciego de ira*. Podemos argumentar, naturalmente, que estas dos pasiones fundamentales tienen en común la propiedad de acarrear la pérdida de control, pero también la ambición o el odio lo hacen, y no encontramos lazos lingüísticos significativos entre estas pasiones y la sexualidad, la inspiración y el sentimiento de lo sagrado. Algo muy específico y a nuestro entender misterioso se dibuja en este entramado ancestral, algo que nunca hemos escuchado profundamente. Quizá sea hora de comenzar a develarlo.

Resumiendo, el hecho básico de una experiencia intensa y dinámica es lo que comparten todas estas acepciones: una sensación estremecedora que conmovía el ánimo de los indoeuropeos. Lo central parece estar representado por la vocal *e* como expresión de movimiento o marcha, que encontramos asimismo en las raíces *ei*: ir; *el*: ir; *er*: poner en movimiento; *ers*: estar en movimiento, de donde viene nuestro *errar* y *aberrar*; y también *eghs*: fuera, de donde viene *ex* en griego y latín, con sentido primero de *fuera*, lo cual implica también movimiento, hacia afuera.

Mientras *eis* es definido por Pastor como pasión, recordemos que inmediatamente aparecen los derivados semánticos en sánscrito: *se lanza, corre*, y avéstico: *moverse rápidamente*. Podríamos interpretar estos intrigantes parentescos según la experiencia que caracteriza a los indoeuropeos, nómades: la marcha los definía, y la marcha acelerada, la carrera, debía ser, con todos sus matices y motivaciones, una experiencia radicalmente intensa. Tan intensa como para que más tarde se pudiese definir a lo divino (el orden de lo humano magnificado) como lo dotado de movimiento intenso (según lo señala Benveniste), y *eis* pudiese derivar a *hieros*. Y tan intensa como para que la tremenda sensación de verse invadido, poseído de fuerzas más que humanas, se viviese como una experiencia del mismo orden. Igualmente invasora es la fuerza que capacita para profetizar, así como la pulsión sexual, y entonces se puede, desde *eis*, llamarla *estro*. Y también tremenda es la furia que despierta la ira. El metal de que esta-

ban hechas las armas terroríficas que blandían invaso-
res arrolladores no era humano, era mágico, y una vez
más recurrieron a *eis, a la metáfora original de la velocidad, la marcha intensa, y lo llamaron *hierro*.

Sagrado, veloz, inspirado, colérico y sexual: así se
ve, desde el entramado del *eis y sus derivaciones, el
ser de la pasión. En síntesis, *eis sería la matriz de un
impulso, movimiento veloz e irrefrenable, propio de
los pueblos nómades, cuya procedencia en la cultura
griega fue asignada a los dioses, y por lo tanto resultó
embebido de lo sagrado y estalló en el delirio profético ocasionado por las fuerzas divinas. Luego se fue
desacralizando en furia e ira humana, pero sigue
percibiéndose en su raíz un impulso intenso, incontenible, que antes se refería a un dios y hoy se relaciona
con el inconsciente, impulso que se denomina con un
derivado de *eis: ira, Eros, estro...

Aun cuando esta hipótesis parece plausible, podemos acaso profundizar más en las resonancias mutuas que implican los vocablos descendientes de *eis,
en cuanto estas resonancias parecen prolongarse en
nuestros días. Considerando la diversidad de significados que encubre una misma raíz, advertimos que en
realidad, todo gira acerca de lo que podemos considerar como "entrada" en un diccionario –ya se trate de
raíces o de palabras–. Muchas de estas entradas son
más laberínticas de lo que se suele imaginar: se entra
por ellas, pero no se sabe dónde se encuentra la salida.
A riesgo de pecar de elementales, recordaremos que
está en primer lugar la categoría de los "homónimos",
que conviene deslindar y descartar inmediatamente
para el propósito que estamos investigando. Se trata

de términos que bajo una misma cadena fónica o significante encierran significados obviamente distintos. Si decimos "llama", por ejemplo, podemos referirnos al fuego o bien al mamífero cuadrúpedo que habita las zonas andinas.

Pero si bajo *estro* se entiende simultáneamente, en nuestros días, "inspiración poética" y "excitación sexual" –particularmente la femenina–, el caso es claramente diferente. De un modo equivalente, como veremos después, si bajo el *orgasme* francés se encuentra, hasta el siglo XVII, el significado de ataque de cólera, y sólo luego el de clímax sexual, cabe preguntarnos qué ha ocurrido en ese desfasaje o deslizamiento de signos que tanto preocupa a los lacanianos. Porque cólera, erotismo, delirio, poesía e impulso sagrado, claramente, no son homónimos; tampoco son claros sinónimos. Se los llama "acepciones", es decir, significados considerablemente distintos que una misma palabra acepta y que desembocan, confluyendo, bajo una misma entrada en el diccionario.

Nadie, en realidad, sabe qué son: parecen haber brotado juntos en un muy extraño ramo que proviene de la sabiduría filosófica, filológica, literaria o popular: nadie lo sabe a ciencia cierta y, lo que es más extraño aun, nadie se lo pregunta. Son adyacencias mutuas, metonimias, reflejos, espejos, ramas de una oscura metáfora central que habita nuestra lengua como un pequeño oráculo todavía por descifrar. Y aquí la pregunta pasa del lenguaje a la poética, de la poética a la psicología, de la psicología a la metafísica. ¿Cuál es la resonancia fundamental que se difunde, cuál es el bajo continuo que recorre y sustenta subterráneamente todos estos sentidos? Notemos que estas adyacencias no son del todo caprichosas, ya que siguen diseminándose en la experiencia contemporánea, como ya lo hemos visto. El delirio amoroso o colérico nos sigue siendo familiar: se habla de amor loco y de cólera demencial, no de avaricia loca ni de envidia demencial.

Uno de los rasgos más salientes, entre los hallazgos que nos ha deparado esta búsqueda, es el hecho de que, desde la perspectiva etimológica, preservada en nuestros días en las expresiones que hemos mencionado, el deseo sexual parece avecinarse más a la cólera que al placer o al amor. Es decir, parece entreverse un dinamismo de violencia cercana a la ira en la pulsión erótica, ya desde la creación misma de las palabras que se refieren a esta esfera. Esta coexistencia de la cólera y la pulsión sexual se pone particularmente de manifiesto, como lo hemos visto, en los casos donde aparecen la ira (*eis* en su derivación latina) por una parte y los (*es*)trógenos (derivación griega trasmitida al latín) por otra[5].

---

[5] No sólo en *eis*, derivando en *ira* y *estrógeno*, se hace patente la coexistencia del ardor sexual y la cólera en las lenguas clásicas. Menos transparente, pero probablemente sometido a un proceso metafórico semejante, es el griego *thumos*, presente también con frecuencia en la saga homérica, que significa soplo, alma, vida, voluntad, deseo, corazón, valor, pero también ira, cólera. En una segunda entrada –pero en correspondencia con *eis, en nuestra opinión– significa lanzarse impetuosamente, saltar, precipitarse con furia. *Thuein* era ofrecer en sacrificio, despedazando la ofrenda. *Thuos* significa madera perfumada, perfume, incienso, ofrenda para sacrificio. También *thuoma* es sacrificio o víctima. De la misma raíz viene, según Corominas, nuestro *turiferario*, el que reparte incienso en los oficios religiosos. El deseo, lo sagrado y la ira, el movimiento impetuoso del *eis indoeuropeo vuelven a amalgamarse aquí. En ruso *zarji –calor– significa también deseo y cólera.

Proyectando las nociones abarcadas en *eis* hacia el pensamiento contemporáneo, en particular el de Freud, podría pensarse que esta raíz apunta al dinamismo de lo inconsciente con sus pulsiones opuestas, que llegan a entremezclarse: una negativa, tanática o de muerte, que busca saciarse en la destrucción de un enemigo (a veces amado enemigo), al que acaso tritura, como lo hace la mantis religiosa, y la otra, la libido propiamente dicha, la incontenible fuerza orientada en última instancia al placer y a la fusión erótica. La pulsión de muerte no es ajena al escenario de la libido, como lo demuestran los últimos textos de Freud.

Sin embargo, no parece haber textos psicoanalíticos que sugieran una vecindad específica de la ira con la pulsión sexual, como parece hacerlo el vocabulario indoeuropeo. Cuando Freud habla de la destrucción, el odio y la agresión —cuya fusión con el Eros se hace particularmente patente en el sadismo—, no parece estar hablando propiamente de la cólera según la comprendemos aquí. El colérico no busca deleitarse sexualmente en los sufrimientos de su oponente; su furia carece de los tiempos lentos con que suelen solazarse los torturadores. La cólera —que se arraiga en el narcisismo y la omnipotencia— arrasa con el enemigo no porque quiera destruirlo como tal —como lo hace el odio— sino porque lo visualiza como un obstáculo amenazador para el logro de un propósito determinado. No olvidemos que la cólera se moviliza muchas veces por un deseo de reparación de la injusticia, que no puede confundirse totalmente con el espíritu de venganza.

Glosando a Freud, diríamos que la pulsión erótica puede orientarse en dos instancias: la de fusionarse entregándose y la de conquistar apropiándose. En esta última, el objeto amado se percibe como un obstáculo a la expansión ilimitada y a la apropiación total del mundo que trata de ejercer el amante agresor-destructor, y no es imposible que la cólera estalle a veces, entremezclada con el deseo de dominio y de agresión. Ésta sería una lectura más conciliatoria, en caso de que quisiéramos concordar las intuiciones freudianas con la sabiduría indoeuropea. En general, sin embargo, en materia de emociones y pasiones negativas, es preciso reconocer que Freud se detiene en el odio, la envidia, el miedo, la melancolía y la culpa, pero no menciona en particular a la cólera –acaso porque la cólera se relaciona con el poder, un tema que no por azar eludió cuidadosamente en toda su obra–.

El hecho indiscutible en el que insistimos es que, en el recorrido etimológico que ofrece el *eis*, la pulsión sexual se halla más cerca de la ira que del placer o del amor: éste es el punto crucial para nosotros, mientras que para Freud se relaciona ante todo con la ambivalencia del amor-odio que subyace a la relación del ego con el objeto de su elección.

Existe también la evidencia de que en muchas lenguas indoeuropeas –quedan testimonios fehacientes en las lenguas actuales– el coito está equiparado, concretamente, con la agresión física del varón hacia la mujer, agresión en la que bien pueden estar entremezclados el odio y la cólera. Baste pensar en el *I knocked her down* del inglés, equivalente al más débil *la volteé* –amables expresiones que describen el llamado encuentro amoroso–. El *estro* descendiente del *eis*, sin embargo, trasciende el coito, como lo hemos visto, ya que, entre otras cosas, se anuda con lo inspiracional y con lo sagrado.

Hay aquí una interesante reserva de intrigantes cuestiones que deberán investigarse en el futuro.

Notemos que el problema relativo a la distinción ira-agresividad que aparece en la interpretación de *eis puede deberse a que la noción de agresividad pareciera ser más moderna y abstracta que la noción de ira. En efecto, la ira implica agresividad, pero no viceversa: hay agresiones que se disimulan bajo la ironía y otras actitudes en general mucho menos intensas que la ira, y alejadas de la violencia que la ira implica. En particular, no parecería que en toda agresión estuviera latente la posibilidad de la ira[6].

---

[6]   ¿Sería la agresividad una tensión omnipresente entre dos tendencias? Una tendencia de cada unidad a mantenerse autónoma y desarrollarse inercialmente, y otra, a encontrarse "a regañadientes", a someterse a la atracción, pero no incondicionalmente, no fundiéndose, no perdiendo la propia identidad ni el propio movimiento: "a prudente distancia", la única enriquecedora y capaz de crear. La agresividad es, en el protagonista activo o en el componente activo del protagonista de un encuentro, energía e iniciativa para actuar; irrestricta, "narcisista", tiende al sometimiento total del otro. Controlada, nacida del reconocimiento y de la aceptación del otro como par, busca y encuentra la creación de algo nuevo.

En el protagonista pasivo, o en el componente pasivo del protagonista de un encuentro, la agresividad es energía para defender la propia identidad; irrestricta, es la defensa a ultranza de la propia identidad, negación a todo encuentro, rechazo de la inevitable modificación que engendra un encuentro creador. La agresividad es entonces, si "desaforada", injusta y destructora; pero "en su justa medida" es, por un lado, energía, decisión para actuar modificando un estado de cosas o el estado de uno mismo y, por otro, energía para defender la propia identidad sin desaparecer en la órbita del agresivo emprendedor. Y como tal debe estar presente y actuante en los protagonistas de todo encuentro que pretenda ser fructífero. En cambio, la ira es en el atacante, el conquistador, tendencia al dominio, a la propia expansión a costa de la desaparición de la identidad del sometido. Ira es el costado negativo, irrestricto de la agresividad.

Este pasaje a nociones más abstractas implica cierta evolución en la interpretación semántica de un término expuesto a diferentes contextos. El Webster da como definición de *aggression*: ataque o invasión inmotivada; una persona agresiva es la que inicia querellas; también se dice de alguien audaz, ambicioso y dinámico. Moliner interpreta *agredir* como atacar, lanzarse contra alguien para herirlo, golpearlo, o causarle cualquier daño, insultar. Lo *agrio* y la *acrimonia* le están etimológicamente relacionados.

Ira, en cambio, se define como furia, furor, cólera o rabia, enfado muy violento en el que se pierde el dominio sobre sí mismo y se cometen violencias de palabra o de obra. El Diccionario de la Real Academia, por su parte, señala que agresión es el "acto de acometer a alguno para matarlo, herirlo o hacerle daño, especialmente sin justificación; acto contrario al derecho de otro; ataque armado de una nación contra otra, con violación del derecho; ataque rápido y por sorpresa, realizado por el enemigo o considerado injusto o reprobable". No parece casual que el mismo término *agresividad*, originalmente con sentido de ataque para matar, para destruir, generalmente con carácter de injusto, se haya ido atenuando hasta convertirse en sinónimo de *acometividad*, que es propensión a embestir, pero también "brío, pujanza, decisión para emprender una cosa y arrostrar sus dificultades". Si bien *agresión* conserva su carga de violencia injusta, *agresividad* pudo ir asumiendo también –gracias a la hipocresía del mundo capitalista– el sentido de espíritu de iniciativa, energía para actuar, para enfrentar situaciones, gente, para tener éxito, para triunfar –avanzando sobre los competidores–. Y pudo ser sinónimo de "espíritu de empresa", cualidad de buen de empresario...

El significado habitual de la agresión oculta o diluye la inminencia de la ira que pudiera albergarse en sus repliegues; dentro del universo nocional del indoeuropeo, tales eufemismos o delicadezas no resultaban acaso accesibles. Según Freud ("Doctrina de las pulsiones", en *Esquema del psicoanálisis*), "en las funciones biológicas ambas pulsiones básicas [Eros y Tánatos] se antagonizan o combinan entre sí. Así, el acto de comer equivale a la destrucción del objeto, con el objetivo final de su incorporación; el acto sexual, a una *agresión* con el propósito de la más íntima unión. Esta interacción sinérgica y antagónica de ambas pulsiones básicas da lugar a toda una abigarrada variedad de los fenómenos vitales. Trascendiendo los límites de lo viviente, las analogías con nuestras dos pulsiones básicas se extienden hasta la polaridad antinómica de atracción y repulsión que rige en el mundo inorgánico. Las modificaciones de la proporción en que se fusionan las pulsiones tienen las más decisivas consecuencias. Un exceso de agresividad sexual basta para convertir al amante en un asesino perverso, mientras que una profunda atenuación del factor agresivo lo convierte en tímido o impotente". Freud advierte la agresión en el acto sexual; las raíces del indoeuropeo entrelazan manifiestamente el Eros con la ira. No hay duda de que nos hemos civilizado y sublimado paulatinamente –fatalmente–.

Pero los pliegues de la agresión pueden esconder, con todo, los antiguos rescoldos de la ira. Es interesante notar, al respecto, que el diccionario de raíces

indoeuropeas de Pastor da *ghred –andar, marchar–
como raíz de agredir (y también de transgredir, egresar,
ingresar, progresar, regresar, digresión, etc.) y luego, en
entrada separada, *ghrem: ira, desazón; avéstico gram:
tener rabia; pérsico garam: rabia; islandés antiguo gramr:
tiene rabia; anglosajón gram, gótico gramjan,
serbocroata grôm: trueno; ruso grom: estrépito, trueno.
(Según Buck, los derivados de *ghrem muestran un caso
en que lo onomatopéyico es clave, ya que el estrépito
del trueno es interpretado como la cólera de la naturaleza y luego transpuesto a los estados emocionales similares en el ser humano, del que el gruñido sería posi-
blemente un ejemplo.)

La vecindad fonética de ambas raíces, *ghred y
*ghrem, parece muy sugestiva, ya que podría apun-
tar a la relación entre el movimiento –en particular,
el avance rápido y frontal hacia otro– con la rabia o
la ira. (También da Watkins *ghrei, que deriva en los
idiomas germánicos como el verbo "espantar" o el
adjetivo "aterrador".) La agresión y la ira, como vemos, parecen entonces relacionarse en el entramado
etimológico a través de vasos comunicantes tan fuertes como sutiles.

Advirtamos también que mientras en Freud la inspiración poética corresponde a la sublimación, que
procede de la desexualización de la energía pulsional,
lo que ofrecen las fuentes indoeuropeas, en nuestra lectura, es una perspectiva donde conviven la ira, el deseo y la inspiración en un solo haz de energía
indetenible, fuerzas todas ellas de origen divino. Es
decir, la inspiración no es un fruto postergado del deseo o de la cólera, sino una fuerza simultánea a ellas,

desde la raíz misma del delirio sagrado y central del que derivan[7].

Puede pensarse entonces que en el universo de la raíz *eis, como en un microcosmos de estallido latente a través de los siglos, como en una suerte de *Big Bang* lingüístico y epistemológico que va a caracterizar a la especie, se generan proféticamente imágenes que en parte corresponden a la teoría contemporánea de las pulsiones duales y de la sublimación, en la terminología freudiana, pero –y esto es lo importante– con una etiología y topología diferentes: el origen de la cólera, el deseo o la inspiración no es inconsciente sino divino, y la inspiración no es subsidiaria de otras pulsiones, sino pulsión ella misma, irrefrenable.

*Men

Existe otra raíz indoeuropea, *men, de la cual deriva en el griego *menis* (en dialecto dórico *manis*), que significa cólera. *Manis* es la cólera durable y legítima, que encarna la venganza de los dioses. El verbo griego *mainomai* significa rabiar, enojarse, experimentar manía, locura, rabia. Como ilustración concreta de esta raíz existe por ejemplo la *menis* de Aquiles en la *Ilíada*, con su célebre línea inicial: "Canta, oh Musa, la cólera de Aquiles". Ésta es la pasión que inaugura nuestra

---

[7]   Acaso coincida esta apreciación con la intuición de Lou Andreas-Salomé, que cuestionando la noción de sublimación de Freud, señala que "la llamada sublimación no es un mero producto de la cultura, una mera transición progresiva que aparta de lo sexual y lleva a lo intelectual, sino que estuvo siempre presente como una composición fecunda de ambos factores".

civilización, cuyo signo histórico más evidente, como es obvio, no ha sido la paz.

Esta consagración de la cólera como motivo supremo del canto homérico nos prepara a comprender que un homicidio como el de Aquiles, desde esa perspectiva, es el acto noble por excelencia. El héroe sólo se somete a la invasión de las fuerzas que son divinas, como ocurre con el místico que se entrega a Dios. El dios está divinizando al héroe o al místico, que no es mero vehículo, sino el endiosado, el entusiasmado –palabra que contiene, precisamente, el *theos*, nombre de dios en griego: las Sibilas pronunciaban sus oráculos en pleno entusiasmo–.

Pero también puede haber un elemento racional en la cólera. Significativo es, en este sentido, el tratamiento que Platón da a este tema en *La República*: mientras la razón es lo que contiene a los apetitos (hambre, sed, amor –entendido como deseo puramente físico–), "la cólera [*thumos*], que se opone al deseo y es distinta de él, empuña las armas a favor de la razón". Objeto de esta cólera razonable es el poder. La cólera impulsa al dominio, a la ventaja sobre los demás y a la gloria, con sus componentes de intriga y ambición. Y Platón insiste en que hay que educar a la cólera para que rija los apetitos sensitivos (el alma es insaciable por naturaleza): la música y la gimnasia son formas de lograr el acorde perfecto en este sentido. (¿Nuestros gimnasios y nuestras discos no nos estarían advirtiendo, por su incesante proliferación, acerca de la cantidad de cólera que albergan, acaso justificadamente, nuestros adolescentes?)

En resumen, la cólera es para Platón una fuerza necesaria, que se opone a otros apetitos y pasiones, y está destinada a gobernarlos. Así vemos cómo, desde el principio mismo de la vida intelectual en Occidente, los filósofos más prestigiosos estuvieron dispuestos a legitimar la cólera que subyace a las guerras.

Finalmente el Estado, según Platón, se divide en gobernantes (filósofos), guerreros y artesanos, cuyos propósitos son diferentes: sólo a los segundos corresponde la cólera, que sirve a la ambición y a la guerra. De todos modos, el homicidio es un caso extremo, ya que no procede de la cólera inspirada por los dioses, sino de aquellas pasiones que pueden considerarse como enfermedades, ancladas exclusivamente en los impulsos corporales: por eso Platón lamenta que Homero sea el maestro de la Hélade. Es decir, contrariamente a la tradición homérica, según la cual en la ira el héroe se mueve agitado por los dioses y se ve justificado por ellos aun en el homicidio, en el *Fedón* dice Platón que las pasiones, enfermedades del alma, fijan como clavos el alma al cuerpo y le impiden el contacto con lo divino[8].

---

[8] La justificación de la ira no sólo es propia del pensamiento platónico. Los escolásticos daban a la ira preeminencia sobre la envidia, que desea el mal del envidiable, y sobre el odio, que aspira a su destrucción. Asimismo, Santo Tomás de Aquino dice que la concupiscencia es peor que la ira porque trata de procurar placeres egoístas, mientras que la ira de la venganza puede contener una intención justa de reparación por una injusticia notoria. También dice que en ciertos casos se peca por falta de ira, como cuando se comete una injusticia notoria o se blasfema y no reaccionamos como deberíamos hacerlo. San Juan Crisóstomo sostiene que la ira es necesaria, "porque sin ella ni la ciencia avanzaría, ni los juicios se ejecutarían, ni los crímenes serían castigados". En la opinión de estos pensadores, por lo tanto, la justicia no obedecería a un equilibrio y neutralización de pasiones como la ira, sino a una canalización de sus aspectos positivos. No olvidemos que Freud dice que la justicia se encuentra entre la venganza y la cólera.

Pero hay que reconocer también que Platón relativiza el componente negativo y pasivo de las pasiones, considerándolas depósitos inagotables de energía intrapsíquica. Así, la pasión amorosa, el Eros, es definido por él como un flujo de fuerza que representa la energía innata del alma. Y en la famosa metáfora de *Fedro*, son los caballos pasionales atados al carro de la razón los que le infunden a ésta la energía necesaria para movilizarse: el díscolo, negativo, y el positivo, que representa el coraje. Como la cizaña que no puede separarse del trigo, ambos son necesarios.

¿Cuáles serían entonces las pasiones positivas? Para los griegos, la *manía*, locura o delirio profético, emparentada etimológicamente con la *menis* de Aquiles, es una forma de la pasión a través de la cual los dioses hablan −en particular Apolo, desde su oráculo en Delfos−. Se recordará que hay cuatro clases de delirio divino, según Platón: el profético, inspirado por Apolo, el de los iniciados, inspirado por Dionisios, el poético, inspirado a los poetas por las Musas, y finalmente el amoroso, el más divino y superior a todos, inspirado por Eros y Afrodita a los amantes. (Con respecto a esta última forma de delirio, acaso la más común entre los mortales, recordemos que Freud, siguiendo en cierta medida a Platón, describió al enamoramiento como la versión normal de la psicosis.)

Platón sostiene, en el *Fedro*, la relación lingüística entre *manía* (delirio) y *manteia* (adivinación o profecía), término este último que nosotros conservamos en *quiromancia* (adivinación por la palma de las manos), *nigromancia* (originariamente *necromancia*, es decir, adivinación −brujería, magia negra− a través de la comunicación con los muertos), *rabdomancia* (adivinación de los lugares subterráneos donde yace el agua), etc. Dice Platón: "Por otra parte, puedo invocar el testimonio de los antiguos, que han creado el lenguaje; no han mirado el delirio, *manía*, como indigno y deshonroso; porque no hubieran aplicado este nombre a la más noble de todas las artes, la que nos dio a conocer el porvenir, y no la hubieran llamado *mantike*; y si le dieron este nombre es porque pensaron que el delirio es un don magnífico cuando nos viene de los dioses".

Y agrega: "El delirio que viene de los dioses es más noble que la sabiduría que viene de los hombres, y los antiguos nos lo atestiguan". Existe, por lo tanto, una conexión entre el delirio mánico del que habla Platón –delirio inspirado por los dioses– y la adivinación profética que, como su nombre latino lo indica, es una participación en la sabiduría misma de los dioses. Y no olvidemos que las pitonisas entregaban sus oráculos en una suerte de frenesí que se aproximaba al delirio de la *manía*.

Es preciso hacer notar que Platón distingue fuertemente entre el delirio erótico inspirado por los dioses, orientado a la belleza absoluta, y aquel amor que sólo procede del cuerpo ávido de placer, atento sólo a la hermosura física: "Cuando el deseo irracional, sofocando en nuestra alma el gusto del bien, se entrega por entero al placer que promete la belleza y cuando se lanza con todo el enjambre de deseos de la misma clase sólo a la belleza corporal, su poder se hace irresistible, y sacando su nombre de esta fuerza omnipotente, se llama amor". Está claro que Platón no aprueba este desenfreno: "No hay compañero más funesto que un hombre enamorado", "Como el lobo ama al cordero / así el amante ama al amado", "La ternura de un amante no es afección benévola sino apetito que quiere saciarse". La idea central de Platón en el *Fedro* es que "el amor es una especie de furor"; y *furor* significaba, en este contexto, precipitación y locura.

En cambio su entusiasmo por los dones infundidos por los dioses es elocuente: "Al delirio inspirado por los dioses es al que somos deudores de los más grandes bienes", "Los dioses nos envían este delirio para nuestra mayor felicidad", "Se precisa del delirio poético para despertar, mediante los acentos musicales, las partes dormidas del alma", "Cuando el alma se eleva por encima de la inteligencia hasta la Unidad suprema, entonces predice el porvenir", "De todos los géneros del entusiasmo éste [el erótico] es el más magnífico en sus causas y en sus efectos para el que los ha recibido en su corazón y para aquel a quien ha sido comunicado".

Como vemos, Platón, por un lado, condena al cuerpo y al delirio pasional que se orienta al placer, alabando la razón; por el otro, exalta el delirio originado en los dioses que se centra en el absoluto de la belleza. Es en Aristóteles donde encontramos la vuelta de tuerca que conduce al justo medio, alejándonos de los extremos delirantes de la pasión platónica. Mientras Platón distingue entre las "buenas" pasiones espirituales, inspiradas por los dioses, y las "malas" corporales, aceptando las primeras y rechazando las segundas, para Aristóteles *todas* las pasiones son malas si conducen a la desmesura. Es típica, por ejemplo, la actitud de Aristóteles con respecto a la ira, cuando dice: "Encole-

IVONNE BORDELOIS

rizarse es fácil, todos son capaces de hacerlo, pero de ninguna manera es fácil, y sobre todo no está dado a todos, encolerizarse con la persona justa, en la justa medida, de manera justa, en el momento justo y por una causa justa".

La digresión platónica nos ha ido llevando entonces a un hallazgo interesante: la raíz *men* y su variante *man* vinculan varias de las nociones que se anudaban también en *eis*. Aquí no está de más recordar que el culto a Dionisios era propio de las *Ménades* iracundas, mujeres que se entregaban a toda clase de excesos eróticos y destructivos en seguimiento de su dios. Servidoras fieles, lo seguían en rituales orgiásticos: nuevamente tenemos aquí el desborde que aparecía en el estro, y nuevamente se enlaza la furia con el ardor sexual femenino[9].

---

[9] Según la mitología griega, entre las Ménades se contaban las Furias (*Erinias*), que eran las diosas de la venganza, primitivamente fantasmas de los asesinados. En la literatura romana son llamadas Furias. Son nacidas de Gea y Urano: de hecho, nacen de las gotas de sangre caídas en la tierra que provienen de la mutilación de Urano –es decir que provienen, simbólicamente, de una castración–. Moraban en el mundo tenebroso inferior, con ojos sangrientos y cabelleras de serpientes retorcidas. Eran tres: Alcesto, incesante en su ira, Tisífona, vengadora de los crímenes, y Megara, la celosa. *Euménides* (las buenas Ménades) era el nombre eufemístico con que se las llamaba para evitar irritarlas. Una vez que cesaron en su persecución contra Orestes, por pedido de Minerva, se las llamó siempre con este nombre.

Las Ménades se vuelven redimibles una vez que aceptan que el asesinato de Clitemnestra a manos de Orestes se justifica, porque restaurar el honor del padre traicionado legitima la muerte de la madre. (Se diría aquí que las Ménades se resignan finalmente a su derrota ante el orden patriarcal, disfrazado en este caso como el mundo de la paz y de la razón.)

Lo que importa notar es que lo enérgico, lo sagrado, lo colérico y lo erótico, rasgos todos que latían bajo el *eis indoeuropeo, se anudan nuevamente bajo la raíz *men. Por una parte tenemos la apología platónica del delirio mánico como pasión celestial, que manifiesta el contacto con lo sagrado, en este caso mediante la adivinación. Este contacto se extiende en toda el área del indoeuropeo: en sánscrito, *mantra* es palabra sagrada. La relación entre *manía* –*manike*– y adivinación profética –*mantike*– encuentra en Herodoto evidencia independiente para la conexión entre delirio y profecía. Por otra parte, como acabamos de ver, la cólera y el estro femenino se revelan en los rituales eróticos e iracundos de las Ménades. En griego, un término relacionado con *men es *mnasthai*, que, entre otras acepciones, significa "desear como mujer".

Lo que corresponde subrayar es el hecho de que para los griegos el delirio no es patológico sino positivo en tanto nos conecta con los dioses y con lo sagrado. Lo mismo resulta cierto en Cicerón, que distingue la insania del furor, porque sostiene que sólo este último corresponde a los sabios, que son inmunes a la primera. Hay por lo tanto un furor sabio, muy distinto de la locura. Esta importante distinción entre delirio sagrado y extravío de la razón se pierde con la modernidad y su afán de controles "razonables"[10].

Resulta instructivo advertir el desdichado transcurso de la manía con el correr de los siglos. Un renombrado manual francés reeditado en 1906 en la co-

---

[10] Es interesante agregar que *menos* significa alma, principio vital, principio de la voluntad, principio de las pasiones, espíritu, valor, ardor, violencia.

lección que dirigía el venerable doctor y profesor L.
Testut, escrito por el doctor E. Régis y premiado por la
Academia Francesa, describe la manía como una psicosis generalizada cuya etiología es difícil de precisar.
Pero se habla, entre otras cosas, de una gran excitación
intelectual, que puede derivar en invenciones notables,
originales y superiores, en los términos del mismo
Régis. También exhiben los maníacos una elocuencia
insólita, grandes despliegues eróticos y una energía
incontenible, que les permite mantenerse durante se-
manas y meses de insomnio total en plena actividad.
El maníaco es orgulloso, obsceno y violento. Su diag-
nóstico es sombrío, y su pronóstico, reservado.

Podemos advertir que hay una suerte de siniestra
correspondencia entre los delirios enumerados por
Platón y los rasgos que definen al maníaco en este discurso. Su capacidad inventiva se relaciona sin duda con
la *poiesis* inspirada por las Musas; su erotismo redobla-
do se vincula asimismo con el supremo delirio erótico
glorificado por Platón y transmitido por Eros y Afrodita.
La violencia obscena que exhibe recuerda la cólera de
las Ménades dionisíacas. Muy lejos del grandioso despliegue inspirado por los dioses que tanto entusiasmaba a Platón, una mirada aséptica y represiva nos empu-
ja a considerar sospechoso y peligroso a todo delirio,
independientemente de su origen o expresión.

El maníaco es un ser marginal en nuestra sociedad, mientras que era escuchado y venerado entre los
griegos. Algo nos amenaza en la potencial conexión de
lo delirante con lo sagrado, lo colérico, lo inspirado y
lo erótico, y preferimos ignorar, aislar, despreciar o ri-
diculizar a los portadores de tan amenazantes, miste-

riosas y ambivalentes energías. Acaso su psicosis no se origine tanto en la presencia de estas fuerzas, sino en el desorden interno que provoca su desconocimiento y acorralamiento por parte de una cultura totalmente enemiga y ajena al mensaje que tales energías acarrean y a la procedencia misteriosa que reclaman. Cuando pensamos que Robert Schumann escribió su famoso Concierto para piano y orquesta bajo los efectos de lo que Régis llamaba manía, nos preguntamos si al escoger tal nombre para designar esta enfermedad, los médicos y la ciencia no procuraban, en realidad, maniatar retrospectivamente las visiones de Platón y reducirlas a enfermizos delirios.

Furor

Muchas de estas conexiones vuelven a encontrarse asimismo en el término *furor*, que el Diccionario de la Real Academia Española define actualmente así: "Del latín *furor, -oris*. Cólera, ira exaltada; en la demencia o en delirios pasajeros, agitación violenta con los signos exteriores de la cólera; arrebato, entusiasmo del poeta cuando compone; actividad y violencia de las cosas; prisa, vehemencia; momento de mayor intensidad de una moda o costumbre. Furor uterino: deseo violento e insaciable en la mujer de entregarse a la cópula". Es decir que las únicas capaces de furia sexual, según esta versión del Diccionario, son las mujeres. La *satiriasis*, su equivalente masculino, no comporta la misma connotación negativa.

Téngase en cuenta que también, si buscamos el término *violencia* en la misma edición, veremos que, según las definiciones, solamente pueden ser violadas las mujeres. (Bajo el rubro de *violación*, en cambio, nos enteramos de que, aun cuando esta actividad está dirigida primordialmente a las mujeres, por extensión puede ampliarse a otras personas.) Estos dudosos privilegios llaman a la reflexión. Es curioso que las mujeres, únicos y excluyentes sujetos de la furia sexual, sean a la vez los únicos objetos y víctimas de la violencia sexual según los diccionarios.

Por su parte, María Moliner define al furor como: 1) locura, delirio, furor, estar fuera de sí; 2) delirio profético, inspiración, entusiasmo; 3) amor violento, pasión furiosa; deseo incontenible. Y en el diccionario de Valbuena encontramos: "Furor: ira, rabia, cólera, enojo; furor poético, estro; perturbación, pasión vehemente y pronta; sedición, tumulto; locura, manía; deseo desenfrenado". Nuevamente asistimos, ahora contemporáneamente, a un despliegue semántico similar al que encontrábamos en la manía, por una parte, y, por la otra, en el estro y la ira descendiente de *eis*.

En cuanto al origen etimológico de *furor*, algunos lo adscriben al indoeuropeo *dhwer*, puerta, con el sentido de aquello que está al exterior, fuera de la puerta, *fuera de sí*. Ernout y Meillet, que no concuerdan con esta teoría, dicen que *furia* viene del verbo *furo*, luego *furio*, estar loco, fuera de sí, perdido, furioso, sentirse agitado, violento, enajenado. (La traducción de este verbo en griego es *mainomai*, nuestro viejo conocido.) También significa inspiración. Etimológicamente, según estos autores, se aproxima el *furor* latino, proveniente del verbo *furo*, al griego *thorein*: lanzarse, y a *thorubos*: ruido, tumulto, relacionado con el verbo avéstico *dvaraiti*: se precipita (aplicado a seres maléficos).

Como vemos, en esta raíz se vuelven a anudar la precipitación, la inspiración, el deseo y la locura, que eran algunas de las notas correspondientes a *eis* según Pastor. Notemos que actualmente *furibundo*, en uno de sus sentidos, significa inspirado. Es uno de los tantos términos cuyo sentido se va convirtiendo en negativo. Lo mismo había ocurrido, como ya lo vimos, con *manía*, que pasó a ser una especificación patológica (la manía depresiva) o bien un gesto ritual obsesivo, ya lejos de la inspiración divina que había admirado Platón.

*Werg

Finalmente, encontramos otra importante raíz donde conviven pasionalmente la cólera y la sexualidad, aparte de una evidente relación con lo sagrado. Representada por *org-* o *erg-* en griego, es la que encontramos en español en *orgasmo*. El diccionario de Watkins ofrece dos raíces indoeuropeas homofónicas: *werg* (1): del cual descenderían en griego *ergon*, que entra en palabras como en-ergía y significa obra, acción; *organon* (órgano); *orgia* (orgía); *werg* (2): "sentido básico incierto; en griego *organ*: hincharse; > orgasmo"[11]. No parece excesivamente riesgoso imaginar que ambos significados pueden confluir, es decir que en realidad estemos ante una única raíz. En particular, resulta curioso asignar distintas raíces a lexemas tan próximos como orgía y

---

[11] El signo > significa "da lugar a", y <, "procede de".

orgasmo, aunque el primero conlleva en su origen una connotación religiosa que el segundo no tiene.

Orgao en griego quiere decir llenarse de savia, ser fértil, desear ardientemente, hincharse (con lujuria), madurar, excitarse. *Orgados* es una región fértil consagrada a Ceres y Proserpina. En sánscrito, *urja*, palabra de la misma familia, significa jugo y savia, y también fuerza o vigor en los hombres. Como en otros casos, la serie semántica que vincula a estas palabras surge primero de la vegetación, luego se extiende al propio cuerpo y finalmente se expande para designar a toda la naturaleza.

La *orgia* griega es ceremonia religiosa, muchas veces secreta, misterio y sacrificio a la vez. Era el nombre que se daba a las fiestas de Baco, que se realizaban en medio de arrebatos lúbricos de embriaguez. *Orgiazo*, en griego, es celebrar los misterios: advertimos aquí nuevamente la relación de lo sexual con lo sagrado. Pero se da también aquí la conjunción de lo colérico y lo sexual: nuestra *orgía* proviene del griego *orge*, que significa temperamento, pero también ira, soberbia, venganza, irritación o enojo, movimiento, pasión, orgullo, arrebato, ardor. *Orgizo* es irritar, provocar. *Orgilos* designa la cualidad de lo irascible o colérico.

El inglés *orgasm*, además de significar clímax sexual o bacanal tumultuosa, quiere decir violencia. Y es notable que, como ya lo hemos anticipado, en francés, *orgasme*, hasta el siglo XVII, significara exclusivamente acceso de cólera, y que sólo a fines de ese siglo pasara a adquirir un sentido sexual. Es posible que en las postrimerías del Renacimiento las turbulencias sociales y políticas dejaran un espacio de mayor libertad para la expresión verbal de la sexualidad, y por ello fuera posible acuñar este nuevo sentido, que hoy ha desplazado totalmente al primero. El vínculo común sería, aquí como en los otros casos que estamos estudiando, el intenso movimiento pasional acompañado de descarga, propio a la vez de la cólera y del impulso sexual, y acaso entrelazados causalmente el uno con el otro. No faltaría tampoco la presencia del elemento inspiracional, ya que *orgia* se relaciona, según lo hemos visto, con *ergon* (obra, acción en griego), y con *work* en inglés: recordemos que las obras de Shakespeare se titulan *works*. Como podemos ver, una vez más se vinculan, a través de una misma raíz, lo colérico, lo sagrado y lo sexual –es decir, encontramos nuevamente en la orgía sagrada, la arrogancia colérica y el *orgasmo* (iracundo o sexual), los herederos de un **werg* primitivo fundamental–[12].

Éste es un eco irrefutable de las confluencias semánticas ira-estro, manía-Ménades, que por lo tanto no se dan aisladas, así como tampoco resulta casual la convergencia de estas nociones en la polisemia de *furor*, en sus acepciones contemporáneas. Algunos observadores pueden sugerir que la vecindad de la cólera y de lo sexual en las entradas y diferentes acepciones de estos vocablos puede deberse a que ambas nociones implican una intensidad poco habitual. Pero, como ya lo señalamos, también son intensos el odio, la soberbia y el amor, y el listado de las distintas acepciones que implican estos términos no ofrece una correspondencia semejante. Son cuatro los manojos de coin-

---

[12] Es interesante notar que la consonancia del orgullo con la agresión no se reduce a este grupo de palabras. Así, *fier* (orgulloso, en francés) quiere decir también cruel y temible.

cidencias específicas –*eis, *men, furor, *werg– que no pueden ser azarosas, a través de las cuales los lenguajes y el lenguaje nos están indicando inexplorados caminos de fusión pasional entre la cólera y el sexo.

Resumiendo: relación con lo religioso, inspiración, locura, furor colérico, excitación sexual, en particular la femenina, son las notas salientes que irradia la raíz *eis. Paralelamente, en los descendientes de *werg vemos enlazarse la violencia y el desenfreno sexual, como asimismo la cólera y el deseo aparecen conectados en el furor (¿*dhwer?) y la manía (*men), vinculados también con una inspiración sagrada. Así considerados y leídos, los diccionarios usuales y los etimológicos se vuelven códigos sumamente densos de una información que permanece implícita y no desplegada en nuestra conciencia actual. Esta información se da también en otras formas contemporáneas más próximas a nosotros: al estar caliente en lenguaje coloquial corresponde el to be hot inglés, que significa estar enamorado o enojado, según los contextos. Eifer, en alemán contemporáneo, se interpreta como ardor, pasión, y asimismo indignación, ira, furia, cólera, celo, ahínco, entusiasmo, arrebato. Parece imposible entonces negar la perturbadora proximidad de la pasión y de la ira, que resiste las olas del tiempo a partir del *eis primordial[13].

---

[13] Podemos imaginar, como origen de esta conexión –aunque esto es sólo una primera hipótesis y sea sólo una conjetura lateral–, que la vinculación se da en la escena primaria: cuando el niño presencia, intuye o adivina el abrazo en la cópula de sus padres, suele imaginar una batalla física aterradora. El morder, rasguñar y el oprimir o sofocar del juego erótico hablan acaso de las fibras de la cólera que habitan y se entretejen en el coito pasional.

Pero por otra parte, en el camino a las lenguas modernas, hemos perdido la conexión del sexo y la cólera con lo sagrado y con la inspiración, tal como estaban entretejidas estas nociones en el *estro* y el *hieros*, en la *menis* y la *mantis*, en la *orge* y la *orgia*, en el *furor* uterino y el *furor* de la inspiración sagrada. Despojado de los dioses que lo animaban, el viento arrasador del *eis* indoeuropeo ha tropezado con la roca implacable de la razón. Es decir, bajo el temor, la paranoia, el poder y el control de la razón –y recordemos que Kant decía que la pasión es el cáncer de la razón–, la magnificencia de la manía, la pasión por excelencia, ha pasado a ser psicosis: de Delfos hemos caído en el neuropsiquiátrico y el electroshock. Y esto ya lo había decidido el nuevo giro de la Hélade, cuando el hombre, peligrosamente, se volvió la medida de todas las cosas y el *meden agan* –nada en demasía– comenzó a exhalar su fétido aroma de áurea mediocridad por todo el universo. Los moralistas grecolatinos, nos dice Foucault, definen la pasión como una atenuada forma de la locura. A lo que contesta Pascal, en *Las provinciales*, a través de los siglos: La pasión no puede ser bella sin exceso. Y Hegel: Nada de verdaderamente fundamental se realiza en la historia sin la pasión.

¿Advenimiento del mundo racional y laico, represión burguesa ante la amenazante y excesiva intemperie a la que nos arrojaba la pasión indoeuropea, fobia y paroxismo de la envidia ante la locura visionaria, necesidad de controlar, trivializar y reducir lo sexual a lo biológico-deportivo o bien a lo pornográfico internético? Aquí se detiene por un momento nuestra investigación –sólo para proseguir hacia otras preguntas del mismo designio, bajo la luz titilante y misteriosa del saber etimológico–.

2. De la ira al sufrimiento: el linaje de la pasión

La raíz *eis* permanece relacionada con el ímpetu divino y turbulento de la pasión, y el padecer –*pathos*– de la pasión mediterránea grecolatina enfoca más bien la pérdida de control racional en el individuo que experimenta la violenta fuerza de las pasiones. Como lo hemos dicho, sin embargo, aquello que parece haberse ido perdiendo con el tiempo, del indoeuropeo al latín pasando por el griego, no es tanto la razón como el origen sagrado del ímpetu pasional. Se puede pensar en un proceso "desmitificador", ya que los griegos paulatinamente tendieron a soslayar, a restar importancia a las "fuerzas incontrolables" –divinas, externas– para asignar el control al ser humano, según el *dictum* de Protágoras: "El hombre es la medida de todas las cosas". Aunque la línea de referencia a lo sagrado sigue perviviendo en cierto modo, para la filosofía griega –en particular, para los estoicos– el control racional es fundamental.

Para explorar mejor el alcance de nuestras afirmaciones, convendría estudiar otras raíces y verbos que parecen relacionarse semánticamente con el complejo entramado del *eis* indoeuropeo.

En griego –y luego, por contacto con los griegos, en el latín que heredamos más tarde las lenguas romances– aparece una raíz competidora de *eis*. En efecto, de una raíz *kwenth* (que significa sufrir y deriva como *kwenth-es*) proviene en griego *penthos*: dolor, due-

lo, luto. De allí se origina el *nepente* –con prefijo negativo–, que es la bebida que los dioses usaban para curar-
se las heridas o dolores; además, producía olvido, como
las aguas del Leteo.

También *pathos* deriva de **kwenth*, y significa suceso que afecta, experiencia, cambio, agitación, sufrimiento, desgracia, enfermedad; en griego moderno significa
también malicia. Pero aquí ocurre una variante decisiva, porque se agregan a *pathos*, cuando se utiliza en plural, los significados de sentimiento, pasión, emoción: esta
acepción se irá infiltrando progresivamente en la interpretación moderna de la palabra. El verbo griego
pascho –relacionado con *pathos*– significa sufrir, estar afec-
tado –positiva o negativamente–, padecer, soportar. (Curiosamente, se interpreta también como ser feliz, recibir
un favor o bien; en lenguaje estoico, asimismo, opinar o
pensar.) La raíz **path* será la que contribuya a identifi-
car la pasión con la pasividad, la enfermedad y el sufrimiento, abriendo camino, a través del latín eclesiástico,
a la arrasadora interpretación cristiana según la cual la
pasión, en términos generales, equivale a pecado.

Para el latín, el diccionario de Ernout y Meillet indica que las formas verbales *patior* –préstamo del *pascho*
griego– significa sufrir; ser pasivo o paciente; soportar. *Patibilis* quiere decir, en la lengua de la Iglesia, capaz de sufrir, cualidad de persona sensible. *Passio*,
passionis, antecedente latino de nuestra *pasión*, es palabra rara y tardía en el latín eclesiástico, y se emplea
para traducir el griego *pathos*. Se aplica a la Pasión de
Cristo y significa también movimiento del alma (correspondiente al clásico *affectus*), con un matiz peyorativo, según señalan los diccionarios.

A través de sus orígenes griegos y latinos, la palabra *pasión* que utilizamos actualmente se relaciona con numerosos vástagos de *pathos* encabezando o rematando ciertos lexemas complejos: *simpatía, apatía, homeopatía, alopatía, impasible, patología* (es decir, la teoría y estudio de las enfermedades o afecciones del organismo), y *patetismo,* un término que evoca en primera instancia la expresión de un sentimiento muy intenso o el sufrimiento –particularmente el que se da en espectáculo– cuando despierta una compasión mezclada con cierto distanciamiento peyorativo e irónico, o con la percepción de cierto ridículo que causa rechazo o desconfianza. (*Pathetikos* en griego significaba emocionante; impresionable o sensible.) Pero debe quedar claro que los romanos no incluyeron en su *passio* el sentido de emoción intensa que, al lado del sufrimiento, connota el *pathos* griego usado en plural. En sus orígenes latinos, *passio* indica ante todo pasividad y sufrimiento, como lo indica esa extraña heredera suya que se llama *paciencia,* que en latín (*patientia*) significaba no sólo sufrimiento, paciencia, constancia, tolerancia, sino también sumisión, servilismo. Notemos que el sufrimiento es una de las formas de lo pasivo en la medida en que no podemos enfrentarlo, lo cual origina dolor y humillación. La enfermedad, en tanto nos hace perder el control de nuestro cuerpo, también humilla y acrecienta el dolor.

La expresión de la pasión, tal como la entendemos modernamente, era en latín (según Ernout y Meillet) *libido, cupido,* mientras que el entusiasmo se manifestaba como *furor, alacritas, studium, ardor.* Cicerón usaba el término latino *perturbatio* para traducir el griego *pathos*; le resultaba difícil, como ya lo señalamos, representarse a la ira o a la misericordia como enfermedades, según la etimología griega, porque consideraba a estas pasiones como constitutivas de la personalidad. Aquí habría que añadir, por último, que en el pensamiento clásico hay una línea natural o una intensa relación entre ser pasivo y sufrir, o mejor dicho, hay un proceso fundamental que lleva de la pasividad al sufrimiento: el sufrimiento del que se habla aquí consistiría en la humillación de perder la dignidad, la libertad, el albedrío, en alas de las pasiones[14].

Hay varias otras pistas que unen al sufrimiento con la pasión: psicológicamente, como lo ha indicado S. Moravia, aparte de la pérdida del control, la pasión nos frustra por la insuficiencia o la inaccesibilidad del objeto del deseo, su engañosa incapacidad de satisfacernos, su alteridad nunca del todo aferrable. O bien nuestra pasión desborda al objeto, o bien el objeto acaba por sustraerse a nuestra pasión. Según S. Vegetti Finzi, la pasión es una tensión atravesada de felicidad

---

[14] Notemos que *padecer* y *sufrir* son verbos que se refieren también a determinados fenómenos que se experimentan sin referirse necesariamente al dolor. Una expresión como "no sufre excepciones" = "no admite excepciones" es neutra. Cuando decimos que la atmósfera sufre cambios inesperados, por ejemplo, no estamos emitiendo un juicio que implique sufrimiento o pena por parte de la atmósfera. (Recordemos que *sufrir* se deriva del latín *sub-fero*, llevar desde abajo, soportar –que a su vez viene de *sub-portare*–.) Acaso el lenguaje nos esté advirtiendo que todo sufrimiento es básicamente sumisión.

Euforia significa llevar bien la carga, aguantar el dolor y las adversidades; sólo secundariamente quiere decir bienestar, y en lenguaje médico, una tendencia acaso exagerada al optimismo.

y de dolor: la felicidad de hallar una dirección a la existencia y el dolor de saber inalcanzable el objeto de nuestro deseo. Por la pasión nos sentimos a la vez nosotros mismos y patéticamente frágiles. También puede ocurrir –como en general lo anticipamos dolorosamente– que nuestra misma pasión se cargue de culpa o pierda impulso: lo que está claro es que en todos estos casos el sufrimiento nos espera.

Psicoanalíticamente, señala L. Kancyper, la pasión genera una herida al narcisismo justamente porque resquebraja el control omnipotente de la razón. Mientras el amor salvaguarda la distancia entre sujeto y objeto, el deseo proveniente de la pasión se orienta a la fusión total con el objeto, que significa el riesgo de devorar o ser devorado por el mismo. Se comprende que muchos conflictos deriven del quiebre de poder que representa el advenimiento de la pasión, ocasionando sufrimiento: el obsesivo la vive como instancia de pérdida de control; el fóbico, como transgresión a la distancia que le es necesaria; el paranoico, como persecución de un enemigo que amenaza con devorarlo. Y no hay que olvidar que tras la pasión subyace siempre el cuerpo: negar la pasión es negar la existencia del cuerpo y por ende exponernos a la muerte. Por eso es tan difícil y doloroso el ceder a la pasión como el oponerse a ella.

Como lo hemos visto, la pasión por antonomasia, entre los griegos, era la *ira*. En el contexto del pensamiento y la tragedia helénica, la pasión es la apertura humana al impulso indetenible de los dioses, un dejar pasar la ráfaga incontenible de lo absoluto; de allí que se encuentre indisolublemente ligada a las nociones de ímpetu y vehemencia. Éste es el caso de la poesía homérica y la tragedia griega, en la cual el hombre, como lo hemos visto, se constituye en *héroe* gracias precisamente a su pasión, que le permite participar en el dinamismo divino, representarlo y actuarlo.

Se podría decir que en el **eis* inicial está dada la noción de una fuerza exterior a nosotros, que se presenta tanto en la grandiosidad de los misterios sagrados como en el frenesí de la danza, en la ira inspirada por fuerzas divinas o en la pulsión sexual que responde al llamado de la especie. En la ramificación de *hieros* que deriva en *jerarquía* presenciamos al poder como una instancia ajena, que se nos impone y nos invade esencialmente desde afuera, aun cuando reclame la totalidad del cuerpo para expresarse. Pero esta ajenidad, en tanto referida a una fuerza divina, no deshonra a quien se somete a ella. Por el contrario, es semejante al transporte de quien se entrega a Dios en todas sus potencias: para los profetas judíos y los místicos cristianos hay también una fuerza divina, el espíritu, que "invade" y conduce a la revelación o el éxtasis.

El *oistros* griego –literalmente, inspiración sagrada y pulsión sexual al mismo tiempo– subraya el valor vital y religioso del término, en contacto con el mundo de los dioses; la primera interpretación de nuestra *pasión* contemporánea, humanista y laica, expresa todavía, en sus repliegues antiguos, preservados en los diccionarios, que son custodios del pasado, la peligrosidad moral de una experiencia que nos hace perder el control de nosotros mismos y nos condena al sufrimiento. Mientras el *oistros* está más cerca del himno lírico, la palabra *pasión* puede ser también la lectura ética de una perturbación que nos supera.

Acaso esta mudanza tenga que ver con el pasaje desde el mundo griego –que comienza a desplazar a los dioses para colocar al hombre en el centro del universo– al mundo romano, donde lo que organiza el campo individual y social, reprimiendo las pasiones, es la ley. (También el judaísmo, en el que la Ley ocupa un lugar central, exige el control de los instintos "asociales", no comunitarios.) El cristianismo, heredero del mundo romano, vendría a acentuar, naturalmente, esta tendencia descalificadora de la pasión.

Cuando los dioses dejan de ser las fuerzas animadoras del universo y de la vida humana y la razón es el único motor legítimo de nuestros actos, la pasión reduce al hombre a un objeto de sus propios instintos, y no lo conecta con la divinidad, sino con el sufrimiento, la falta, la pasividad y la muerte. Es decir, dejamos de ser vehículos de los dioses y nos volvemos víctimas –sujetos pacientes o pasivos– de nuestro cuerpo y de nosotros mismos.

Aquí es donde parece radicar la transición crucial en el concepto de la pasión. Es decir, el significado de pasividad se mantiene, pero lo que cambia es el agente: de los dioses que nos invadían pasamos a nuestra naturaleza corporal –en la filosofía platónica–. El cristianismo hace suya esta censura: San Agustín distingue entre *amor, amicitia, dilectio, voluptas, passio* y dice que "la pasión es una impureza del espíritu lejano de la vía soberana del amor del que habla Pablo". La pasión, adscripta al mundo de lo pecaminoso, se sufre como una pérdida de identidad: "no era más yo", dice Agustín refiriéndose al período apasionado de su juventud.

En cualquiera de sus acepciones primigenias –sufrimiento, inercia o enfermedad– esta raíz irradia indudablemente connotaciones ética y epistemológicamente negativas, aun cuando vaya emergiendo, poco a poco, dentro de su significado, el magnetismo propio de la pasión tal como la concebimos actualmente. Es decir, subrepticiamente, detrás del campo etimológico-semántico oficial que la vincula con el pecado, la pérdida de control, la enfermedad o el sufrimiento –antonomásicamente, la Pasión de Cristo–, la palabra *pasión* se va cargando y apropiando, con todo, del sentido germinal del **eis* indoeuropeo, resplandor de lo magníficamente intenso, lo subversivo, lo omnipresente y omnipotente, la clave del dinamismo central de nuestras vidas. Ya desde Spinoza se dibuja el viraje hacia el sentido positivo de la pasión. El mismo Hegel representa otro cambio del significado de la pasión en el mundo moderno: lo que ve en ella, ante todo, es la ausencia de las mediaciones conscientes, ausencia que expone al individuo a ejercer la violencia y entregarse a la alienación. El vaciamiento del significado pasivo de la pasión es manifiesto aquí.

Este pasaje del sufrimiento o la pasividad a la órbita de lo pasional, tal como lo entendemos en el mundo contemporáneo, no puede pasarnos inadvertido. Por algo Freud descarta de su nomenclatura el término *pasiones* y habla ante todo de *pulsiones*. Freud escribe: "cada pulsión es un fragmento de *actividad*; cuando se habla en forma descuidada de pulsiones pasivas, sólo puede referirse a pulsiones con un objeto pasivo". A diferencia de las pulsiones, sin embargo, notemos que las pasiones se consideran como fuerzas

conscientes: según S. Moravia, la diferencia entre
pulsión y pasión es que la segunda se constituye a partir de un objeto claramente distinguido por el sujeto
que lo fabula y se enajena en él, mientras la pulsión es
una irresistible necesidad biológica, instintiva, que no
llega a reconocer nítidamente sus objetos.

La pasión se convierte así en un término etimológicamente complejo, cargado de lecturas contradictorias que involucran a la vez pasividad y vehemencia.
(Notemos que lo mismo ocurrió con el cambio de sentido de *sujeto*, que significa, etimológicamente, "suje-
tado", y sin embargo se vio luego asociado con la idea
de acción responsable, individuo no sometido, yo au-
tónomo. Estas variaciones históricas y epistemológicas merecen más atención que la que corrientemente
se les otorga.)

Una posible síntesis de la historia del origen de las
pasiones, según los materiales que hemos venido considerando hasta aquí, nos diría que en un primer término las pasiones proceden de los dioses, y por lo tanto no pueden ser juzgadas; en una segunda etapa, donde se acentúa el dominio de lo racional, proceden de
los instintos y son por lo tanto humillantes; en la etapa
religiosa provendrán de las tentaciones diabólicas y
serán pecaminosas; en la etapa contemporánea pueden considerarse como surgidas del inconsciente, es
decir, de la fuerza de una libido sublimable.

Resulta sugerente que mientras *eis* haya derivado en *ira*, una pasión específica (aunque configura el
arquetipo de toda pasión en el mundo helénico),
kwenth sea el antepasado de nuestro *pathos* y nuestra
pasión, que aún los diccionarios actuales –curiosamen-

te– describen en primer lugar como sufrimiento. La práctica de expulsar los demonios –y acaso los rituales de sanación que se efectúan en nuestros tiempos– indican que la creencia acerca de un *pathos* exterior que nos domina, invade y pasiviza, tiene fuerte raigambre en la cultura de la especie.

Este viaje –en cierto modo, trayecto del estallido a la represión y luego nuevamente estallido– conecta diversos mundos conceptuales a través del transcurso del tiempo, en una mirada diacrónica que religa a la palabra con su origen, pero también a través del espacio, ya que veremos que en muchos casos el mismo juego de asociaciones se reproduce en lenguas que están lejos de utilizar los mismos significantes. En efecto: ningún puente fonético une la *pasión* romance, vinculada a la sufriente pasión de Cristo, con la *Leidenschaft* (pasión) germánica. Pero en ambos términos está presente la connotación de sufrimiento. La derivación en alemán es tan clara como notable en el desfasaje de sentidos: *Leid* significa mal, pena, dolor, aflicción, pesar, disgusto, ofensa, desgano. *Leiden* –el verbo relacionado– quiere decir, previsiblemente, padecer, permitir, tolerar, aguantar, sufrir, pasar, soportar, experimentar. (Se relaciona con este verbo el adjetivo *laid* –feo– en francés.) *Leideform* significa voz pasiva. Pero *Leidenschaft*, nombre que se construye sobre la base morfológica del verbo, pasa a significar pasión, gran afecto, amor, manía, ímpetu, vehemencia. Y este dramático pasaje no puede quedar inadvertido[15].

---

[15] En alemán, además de *Leidenschaft* existe *Sehnsucht*, anhelo, deseo ardiente, literalmente, búsqueda del deseo.

Notemos que la contigüidad entre pasión y sufrimiento no se reduce al mundo griego o al germánico. En su diccionario de raíces indoeuropeas, Buck, que subraya la falta de distinción entre emoción y pasión en el *pathos* griego, dice que la mayoría de las palabras que designan la pasión en los idiomas indoeuropeos significa originariamente sufrimiento, cualquiera sea su forma o su origen. Así tenemos en irlandés *cessad*, que significa al mismo tiempo sufrimiento y pasión. En gótico, *winna* significa pasión, y *winnan*, sufrir. *Stradati*, en ruso, significa sufrimiento, y se vincula con el *estro* original y sus connotaciones pasionales. Obviamente, no hay puente fónico que religue estas palabras: la intuición de que sufrimiento y pasión forman una dupla indisoluble parece trascender las fronteras lingüísticas y manifestar acaso una extendida experiencia humana.

Es curiosa la persistencia de las acepciones negativas para los descendientes romances de *passio*. Un ejemplo pertinente es la definición que da el diccionario de Littré para el francés *passion*: "Sufrimiento, hablando de Cristo y los mártires. Antiguo término de medicina: así se denominaba la histeria, la pasión histérica, el íleo, la pasión ilíaca. Impulso del alma hacia el bien o hacia el mal, por placer o por dolor".

La pregunta que aquí se impone es si la convivencia lingüística de sufrimiento y pasión es un préstamo conceptual que a través de estructuras político-culturales dominantes –digamos, el Imperio Romano y la Iglesia– se extendió desde el latín a otras lenguas, o bien si la percepción de la pasión como unida inexorablemente al padecimiento constituye una suerte de primitivo que se estableció históricamente entre los descendientes de la cultura indoeuropea. Naturalmente aquí el estudio detallado, así como el examen de lenguas ajenas a ese ámbito, puede resultar decisivo en la resolución de este enigma. Apasionante como es, no entra dentro de nuestras posibilidades actuales el resolverlo, y por lo tanto lo dejamos abierto a futuras investigaciones[16].

Aún hoy en día se mantiene el curioso rango de significados que privilegia al sufrimiento como rasgo definitorio de la pasión, si no en la mente colectiva, en los diccionarios autorizados y de uso corriente. Así, textos tan clásicos anteponen, en la entrada correspondiente a *pasión*, *passion*, respectivamente, la acepción de sufrimiento a la de emoción o impulso violento, oponiendo, en particular, *pasión* a *acción*. Es sintomático que el Drae (Diccionario de la Real Academia Española) dé la siguiente definición de *pasión*:

"Del latín *passio, -onis*. f. 1. Acción de padecer. 2. Por antonomasia, la de Jesucristo. 3. Lo contrario a la acción. 4. Estado pasivo en el sujeto. 5. Cualquier perturbación o afecto desordenado del ánimo. 6. Inclinación o preferencia muy vivas de una persona a otra. 7. Apetito o afición vehemente a una cosa. 8. Sermón sobre los tormentos y muerte de Jesucristo, que se predica el Jueves y Viernes Santo. 9. Parte de cada uno de los cuatro Evangelios, que describe la Pasión de Cris-

---

[16] Observamos que en hebreo ningún término que defina pasión (*lahab* y sus derivados) –frenesí, entusiasmo, hervor, llama, magia– tiene que ver con la noción de sufrimiento, de modo que no estaríamos de ningún modo ante un universal. ¿Acaso la ecuación pasión-sufrimiento sea exclusiva del mundo cristiano?

to. 10. Antiguo término médico: afecto o dolor sensible de alguna de las partes del cuerpo enfermo. 11. Tristeza, depresión, abatimiento, desconsuelo."

Notemos que la acepción que resultaría más corriente y aceptable, aun con sus resabios escolásticos, para el hablante contemporáneo, "cualquier perturbación o afecto desordenado del ánimo", aparece sólo en quinto término. De los once significados consignados, ocho se refieren al sufrimiento o a la pasividad del sujeto de la pasión. No deja de impresionarnos, además, el tono religioso-moral del enfoque, imbuido de la influencia judeocristiana. Sin duda, este tipo de definiciones nos alerta en cuanto a la política lexical y cultural que implican los diccionarios oficiales –a los cuales, en general, no se recurre, afortunadamente, en estos casos–. En nuestro hablar contemporáneo, expresiones como "una novela apasionante", "apasionado por la música", "pasión por el prójimo", lejos de expresar pasividad o matices reprobatorios, son altamente positivas. Ha habido sin duda un rescate vital y una reapropiación de signo muy distinto con respecto a la pasión en la conciencia moderna.

Es interesante notar, con todo, que la conexión semántica entre pasión y sufrimiento también se traslada a la esfera simplemente sentimental: "lo siento", sin otros modificadores, quiere decir: "lo lamento" o "compadezco". (L. Kancyper apunta que en análisis, sobre todo en el lacaniano, el *sentimiento* por antonomasia es la angustia.) Pero para nosotros, hablantes del tercer milenio, la palabra *pasión* sólo secundariamente evoca la noción de sufrimiento y aun más lejanamente la idea de inacción, que para algunos resulta totalmente ajena a su interpretación y uso más corriente. *Com-pasión*, que significa compartir una pasión, un padecimiento, conlleva todavía, sin embargo, el significado sufriente primitivo.

En resumen, nos parece haber asistido al duelo de dos raíces pasionales lingüísticas conviviendo o disputando: el *eis* indoeuropeo, que revela movimiento, sacralidad, ímpetu, fervor, inspiración y sexualidad desbordante de ira, y, por otra parte, el *pathos* griego, *patior* latino –descendientes del *kwenth* indoeuropeo–, que denotan originariamente pasividad y sufrimiento. Cabe pensar que entre la ira y la pasión, entre la ira de Aquiles y la pasión de Cristo se mueve, a través de la historia, una suerte de polaridad maníaco-depresiva, que va de la omnipotencia agresiva desplegada en la cólera de los héroes homéricos a la depresión culpable de la pasión dolorosa y pasiva que hemos heredado del mundo grecolatino, acentuada luego por la ética cristiana. ¿Acaso no dice Susan Sontag que el culto del amor en Occidente es un aspecto del culto al sufrimiento –el sufrimiento como símbolo de Seriedad–? "Así, no es el amor lo que sobreestimamos, sino el sufrimiento."

Una dialéctica interior parece producirse entonces dentro de la historia de la palabra: su arqueología etimológica –acción de padecer o de doler, opuesta a la acción, dice María Moliner– nos advierte en su forma misma con respecto a lo negativo de su origen y su etiología; pero el contexto histórico y cultural en el que ella misma se desarrolla acaba por incorporar finalmente el sentido de un glorioso exceso –propio del *eis* primitivo–. Perturbación violenta del ánimo, define también Moliner: ante ese magnetismo, fatalmente, todos los seres humanos sucumbimos.

Acaso esta historia pueda verse como un interesante movimiento pendular desde los indoeuropeos a
nosotros. Como lo hemos visto, ellos privilegiaron la
ira como pasión central, y asintieron a su desborde
porque en él se expresaban ante todo los dioses; los
humanos eran para ellos sólo vehículos de lo divino.
Nosotros, los contemporáneos, en la medida en que
aún somos románticos, pretendemos que nuestra pasión central es el Eros –aun cuando reconozcamos,
unida a él, la sombra de Tánatos–. Pero aunque, siguiendo a Nietzsche, hemos destituido a los dioses, nos
avergonzamos todavía por la pérdida de límites. De
algún modo, nos hemos dulcificado reemplazando la
ira con el amor; de algún modo también, correlativa-
mente, nos hemos domesticado y pedimos excusa in-
cesantemente, a nosotros mismos y a nuestros semejantes, por nuestros descontroles.

Alguien podría decir, cínicamente, que en el fondo nos hemos vuelto, con el tiempo, más hipócritas y
cobardes, ya que negamos obstinadamente la
centralidad de la violencia y la agresividad en nuestras vidas –una violencia y agresividad que nuestros
ancestros reconocían con mayor lucidez–. Esta negación se ve desmentida en particular por la escalada
universal de la violencia en la vida política de las na-
ciones. Algunos de entre nosotros, más pesimistas o
realistas, siguen a Hobbes y entienden que el hombre
es el lobo del hombre y su pasión más fuerte, la codicia
del dinero y del poder.

Pero si la ira de Aquiles condensa la pasión griega, a partir del Medioevo –ya se trate de Tristán e Isolda,
de Abelardo y Eloísa o de Paolo y Francesca– la pasión

por antonomasia será el amor: y es precisamente la pasión la que conduce al amor a su apogeo y a la vez a su perdición irremisible. A él, en consecuencia, le dedicamos las siguientes reflexiones.

3. El amor

Del amor en Roma y sus alrededores: raíces latinas del amor

> *... la lengua, como resulta obvio,*
> *no es un sistema convenido de signos...*
> Walter Benjamin

La etimología ofrece una entrada inesperada, sorprendente y al mismo tiempo extrañamente familiar, a la muy socorrida visión del amor. En verdad, resulta curioso que hasta ahora no se hayan explorado las riquezas de enigmas y sabiduría que ofrece el despliegue genealógico de las palabras referidas al amor cuando las remontamos en el tiempo. Circunstancia doblemente curiosa si pensamos que nuestra época, a través de la lingüística y el psicoanálisis, se jacta de haber ido mucho más lejos que otras en la indagación del lenguaje y en la observación de los fenómenos conscientes e inconscientes tocantes al universo pasional.

Podemos empezar advirtiendo que, dentro del grupo indoeuropeo, las lenguas nórdicas y las meridionales exhiben diversas consonantes para nombrar al amor. Pero tanto en el caso de la *M* del amor de las lenguas romances, meridionales, como en el de la *L* (presente entre otros ejemplos en el inglés *love*) de las lenguas germánicas, septentrionales, la relación se ofrece a través de dos onomatopeyas centrales, que reproducen los gestos de la boca y de la lengua, respectivamente. Estos gestos, en ambos casos, se refieren, reproducen y apuntan al acercamiento al pezón y al lamer o paladear propios del amamantamiento. El acontecer del amor se centra fundamentalmente, desde el punto de vista del racimo de raíces indoeuropeas del que disponemos, en la relación recíproca de madre y criatura, y sólo por traslación se expande hacia las zonas del abrazo de la pareja humana. En otras palabras, el lenguaje sabe que las madres no pueden divorciarse de sus hijos ni los hijos de sus madres, y por eso prefiere denominar *amor* a esta relación verdaderamente indisoluble.

Para comprobar esta afirmación, escuchemos la palabra *amor*. Su raíz se encuentra en el indoeuropeo **ma*, *madre*, raíz imitativa de la voz infantil, que reproduce el balbuceo del bebe al mamar. Su derivado es *amma*, voz familiar, que también significa *madre*. El español, con su habitual fidelidad y transparencia, guarda esta raíz prácticamente intacta, en expresiones como *ama de leche*, es decir, la que amamanta. *Amita* significaba, dentro del recinto indoeuropeo, hermana de la madre o tía, es decir, persona que puede ocuparse de un recién nacido o eventualmente actuar como nodriza[17]. De *amma* proviene amor.

---

[17] Nótese que *nodriza* proviene de *nutricia*. *Nurse*, en inglés, de la misma raíz, significa a la vez, como sustantivo, enfermera y nodriza, y como verbo, amamantar a un niño y cuidar a un enfermo. En cierto sentido, el cuidar a un enfermo es como amamantarlo, alimentarlo, regresarlo a la época en que recibía amorosamente el cuidado y la leche materna. También podemos pensar que el ham-

La *M* maternal se transmite en muchos casos a los nombres de la hermana, la abuela, la tía, la cuñada, la prima y la sobrina, como si el poder de lactancia de la madre se irradiara a través de todos los miembros femeninos de la familia. Existe también *mater*, que significa propiamente madre, con el sufijo -*ter* que indica parentesco y aparece también en *pater*, *frater*, etc. En latín se asocian con *mater* palabras como *materia*, que hemos heredado directamente, así como su derivado *madera*. *Materies* es, en efecto, el tronco o madera dura interna del árbol que produce retoños.

La raíz *am* dará lugar a palabras como *amar* o *amor* entre nosotros, ya que se proyecta, en espejo, en la raíz *ma*[18]. Esta raíz *ma* tiene tres entradas en los diccionarios indoeuropeos: en una significa lo propicio, lo bueno (cualidad que todavía se proyecta actualmente en *ma*-tutino o *ma*-duro, es decir, lo que está fresco o lo que está a punto para ser comido); en otra, la madre; en otra, lo húmedo. Lo bueno, lo comestible, lo húmedo, lo maternal, lo que fluye parecen entretejerse aquí. *Ma-má* en español –*mamma* en italiano– es la reduplicación infantil de esta raíz ancestral. Cuando

---

bre es una suerte de enfermedad, y la alimentación, su cura –lo cual tiene una mágica o mítica verosimilitud–. No es ningún azar el que una "receta" sea un término culinario y médico a la vez: una buena estrategia culinaria es lo mismo que una dieta que evita enfermedades.

[18] Estas inversiones o metátesis son naturales en todas las lenguas: baste pensar, por ejemplo, en la alternancia *skop-spec* que se da en la raíz griega *skop* (*skopeo* es mirar), de la que deriva *epíscopo* y de allí *obispo*, que significa "el que mira o vigila desde arriba". *Spec*-, su equivalente latino, también significa *mirar*, y la encontramos en numerosas derivaciones, como *espec*táculo, por ejemplo.

los chicos hoy dicen *ma* para llamar a sus madres están deshaciendo –"deconstruyendo"– la reduplicación y volviendo a la forma primitiva. Cuando el adulto dice *mamá* se refiere al seno materno –de hecho, está pidiendo la teta–: *mamma* es a la vez madre y teta en latín; *mamí*-fero, el animal que lleva tetas. *Amamantar* viene de *mamar*, pero *mamar*, a su vez, viene de *mama* –es decir, primero viene la leche (el seno que la lleva) y luego el deseo y el acto de tomarla–.

Hay una coincidencia notable que se extiende a través de muchos idiomas de origen diverso, indicando que las palabras que designan a la madre, con una frecuencia que desafía las leyes de probabilidad, presentan una *M*. En lenguas remotas dentro del grupo indoeuropeo, como el hitita, el nombre de la diosa madre era *mamma*. Pero debemos pensar que la tendencia va más allá del indoeuropeo y se remonta probablemente a una lengua madre originaria. *Em* y *Ab*, en hebreo, significan respectivamente madre y padre. Paralelamente, encontramos *muchi* y *fuchi* en chino; en quechua, madre se dice *ma*; en tupí-guaraní, *amotá* es amar, desear, *amotó*, pariente, y *amú*, hermana. Estos datos –a los que pueden agregarse muchos otros– parecen apuntar a la existencia de una lengua madre en la que se anudaría el indoeuropeo con otros grandes grupos lingüísticos y de donde derivarían ciertos gestos lingüísticos primordiales. El gesto de adelantar los labios para producir esta sonorante nasal se asocia sin dificultades con el acercamiento de la boca del niño al pezón materno. Es también el gesto necesario para el beso.

Persuadida de la realidad de este vínculo, que por la frecuencia y el radio de expansión con que se da no cabe atribuir al azar, Sabina Spielrein, una deslumbrante discípula de Jung y de Freud cuya obra debería ser mejor conocida, propuso una interesante teoría. Según ella, las primeras expresiones verbales del infante tienen su origen en el acto de succión, su primera actividad voluntaria. En ausencia de la madre, la tentativa de succión produce los sonidos *mô-mô*. Estos sonidos se ligan luego al acto de chupar y proporcionan, por lo tanto, al prefigurarlo, un cierto placer. En un segundo estadio, se da la fase mágica, cuyo principio reposa en la semejanza de la acción llevada a cabo con el evento cuya realización se desea, ya que, mediante la secuencia *mô-mô*, el infante es capaz de evocar el objeto mágico, porque su llamado puede ocasionar la presencia materna[19].

Originariamente, dice Spielrein, todo deseo se satisface de modo alucinatorio. El mundo mágico presupone el poder ejercer una influencia sobre el mundo exterior. En él, la palabra puede reemplazar una acción, porque en el mundo primitivo la palabra era una acción[20].

---

[19] El trabajo de Spielrein se titula *La genèse des mots enfantins Papa et Maman*. Fue presentado en el VI Congreso Internacional de Psicoanálisis de La Haya en septiembre de 1920, y publicado en *Imago*, en 1922. Es interesante notar que en el mismo año 1920 Freud presenta su célebre trabajo, *Más allá del principio del placer*, donde ilustra, con el *Da!* del niño observado, el júbilo que experimenta éste al provocar simbólicamente el regreso de su madre.

[20] Primero la palabra, en tiempos del animismo, cuando los humanos se sienten fusionados con la naturaleza, tiene una función mágica, como lo dice Benveniste; luego, en la era de las religiones, donde se experimenta una vinculación con dioses personales, adquiere una misión sagrada, acompañada de sacrificios y signos de poder. La palabra de Dios que crea, la palabra sacramental que transubstancia, las maldiciones que supuestamente producen efecto, son ejemplos de la palabra en acción. Más tarde, en nuestra

Aquí es donde, crucialmente, se constituye la relación objetiva entre la palabra y su significado: cuando a *mô-mô* corresponde la presencia de la madre. El acto de mamar es esencial más que ningún otro para fundar la experiencia del niño, no sólo en tanto nutrición sino como gesto de amor: contacto con otro ser como beatitud suprema. Freud lo dice taxativamente: "En un principio la satisfacción de la zona erógena aparece asociada con la del hambre. La actividad sexual se apoya primeramente en una de las funciones puestas al servicio de la conservación de la vida, pero luego se hace independiente de ella. Viendo a un niño que ha saciado su apetito y que se retira del pecho de la madre con las mejillas enrojecidas y una bienaventurada sonrisa, para caer en seguida en un profundo sueño, hemos de reconocer en este cuadro el modelo y la expresión de la satisfacción sexual que el sujeto conocerá más tarde".

Por algo los griegos representan a Eros como un niño. Y la palabra *orexis*, en griego, del verbo *orego*: tender, llegar a, alcanzar, significa deseo de comer, y luego se extiende naturalmente a la voluptuosidad en general y al deseo sexual en particular –de allí *anorexia*, que es la privación de estas tres tendencias–. Freud nos

---

cultura, la palabra se reducirá a un signo útil, destinado sólo a la comunicación y a la información. Pero las etapas mencionadas no se excluyen sucesivamente unas a otras, ya que ciertas virtudes animistas y sagradas de la palabra persisten, por ejemplo en la poesía, o bien aparecen traspuestas en términos de la filosofía y la ciencia moderna: el aire que el psiquismo emana es alma, las emisiones del alma son materia incandescente que se reparte en fotones y el lenguaje es alma modulada: cada palabra es un fotón.

dice: "Con la palabra libido designamos en qué forma
se manifiesta la pulsión sexual análogamente a cómo,
en un ser humano, se exterioriza el ansia de absorción
de alimentos". No hay duda, por otra parte, de que en
el niño el placer de mamar constituye un jalón defini-
tivo para el placer sexual ulterior. "Es indudable –dice
Spielrein– que el instinto de autoconservación o de
nutrición está muy estrechamente ligado al instinto de
conservación de la especie, y por lo tanto, al instinto
sexual." Spielrein cita asimismo la opinión de un autor francés que compara el solaz que experimenta la
madre al amamantar a su niño al placer que procura el
coito al eliminar tensiones que se vuelven excesivas.

"Los síntomas neuróticos –dice Freud– son satis-
facciones sustitutivas. Comprobamos la extraordinaria frecuencia con que los órganos de absorción de alimentos llegan a constituirse en portadores de excitaciones sexuales..." Notemos que, curiosamente –o no
tan curiosamente, acaso, teniendo en cuenta la fuerte
raigambre patriarcalista de las opiniones de Freud–,
se habla aquí de las excitaciones sexuales de los órganos de absorción de alimentos y no de los órganos de
portación de alimentos, como el clásico seno materno.

Es decir, es el proceso de alimentación en su plenitud activa y pasiva –teta fluyente y boca absorbente–
el que se vincula al proceso de fusión sexual, activa y
pasiva –si bien no se puede hablar de plena pasividad
en ninguno de estos casos–. Y en cuanto al carácter
neurótico sustitutivo de los órganos de absorción de
alimentos como portadores de excitaciones sexuales,
nos atreveríamos a decir que en un primer estadio, sin
embargo, el primer vislumbre de sexualidad se alcan-

za a través de la experiencia mamaria: el sexo, podríamos decir, es una extensión de nuestra necesidad de
dar y recibir en una relación nutritiva; podríamos incluso pensar que, posteriormente, no se trataría sólo
de sustitución, sino también de regreso a un lugar de
origen. En el alimentar al niño desde el pezón, asegurando así su subsistencia biológica y afectiva, la madre
prefigura el acto posterior de la cópula, donde, com-
plementando el ciclo vital, el varón alimenta la boca-
vagina de su mujer desde su pene, asegurando así la
supervivencia de la especie.

Las lenguas del mundo evidencian una amplia
gama de metáforas donde el acto sexual y las expresiones afectivas que lo rodean y preparan se designan con
imágenes alimenticias: sólo en español encontramos "me
gustas", "me lo comí a besos". Hay numerosas comprobaciones independientes en este sentido: por ejemplo,
Eduardo Galeano menciona que entre los guaraníes la
palabra *che ha'u* designa a la vez el acto de comer y el de
hacer el amor; numerosas metáforas populares y colo-
quiales corroboran esta identificación. En el lenguaje se
anudan y evidencian los misterios biológicos que pro-
claman la unidad de la vida. Estos ejemplos remiten inevitablemente a la pregunta acerca de la prioridad de lo
nutricio sobre lo sexual, o mejor dicho, acerca de la posibilidad de considerar simbólicamente lo sexual como
una extensión de lo nutricio, y no viceversa. Lo importante es que mientras la alimentación produce el man-
tenimiento y el crecimiento de los seres vivos –y también sus excrementos–, la cópula engendra seres vivos.

La metáfora que une lactancia con amor no es exclusiva del indoeuropeo. L. Kancyper nos hace notar

que en hebreo se menciona a Dios como *El-shadai*: Dios mi seno, seno del que yo mamo; *shadaim* significa senos. *Shadad* quiere decir ser fuerte, poderoso, violento, y *shadí*, Dios Señor omnipotente. Al parecer, hay aquí una confluencia natural no sólo entre lactancia y amor sino entre lactancia y poder que sería interesante explorar. Otras confluencias entre la biología materna y el amor divino aparecen en la designación de *El Rajamim*, Dios misericordioso: *réjem* quiere decir útero y, poéticamente, muchacha. Pero también la misma raíz aparece en el amor humano: *rajam* es enamorarse, y también compadecerse; *rejom* (o *rejúm*, según las distintas grafías) es el amado.

Vemos entonces que la mama y el útero se relacionan con el amor a través de fronteras lingüísticas. En el vocabulario que hemos estudiado, no parece haber, en cambio, rastros de palabras que unan los órganos de reproducción masculinos con el afecto o el amor. En general, en la tradición latina y germánica, los nombres del varón y de la virilidad están unidos a los de la virtud, la vida, la fuerza y la guerra. Esta interesante dicotomía merece reflexiones que dejamos para más adelante.

Una excursión onomatopéyica

En el examen de la carga semántica de *am* y *ma* se nos aparece con fuerza la noción de *onomatopeya*, palabra heredada del griego, que se forma con la conjunción de *onoma, onomatos*, el nombre (como en *onomástico*, el aniversario de la fecha en que se nos otorgó un nombre), y *poiesis*, creación, acción, fabricación, arte de la poesía –de donde se origina la poesía, que es, precisamente, el prototipo de la creación–. La onomatopeya es entonces el nombre que crea, la palabra o el nombre que evoca mágicamente, por analogía, aquello que dice.

Muchas raíces tienen que ver con el lugar de la boca en que se pronuncian las consonantes: La *M* indica el adelantamiento de los labios en el mamar; la *L* implica el acto de lamer, ya que para pronunciarla la lengua debe rozar el paladar; la *S*, pronunciada hacia adentro, indica succión, como en el inglés *suck* (chupar).

"Toda palabra y toda la lengua es onomatopéyica", ha dicho Walter Benjamin, en un estudio demasiado poco frecuentado. La onomatopeya suscita, por evocación o imitación, su propia referencia, porque la lleva en su sonoridad misma. El *frufrú* de la seda, el crujido de pasos en un pinar, no son nombres arbitrarios sino que identifican en su materia fónica misma, *frufrú*, *crucrú*, aquello de lo que hablan, proyectándolo mágicamente hacia la realidad.

Podemos imaginar que, mucho antes de los indoeuropeos, había en la lengua original, como componente de la estructura básica, grupos de palabras "afines" que se expresaban con una consonante o una doble consonante, cuyo sonido (onomatopeya) o cuyo lugar de emisión en el aparato fónico (algo que podríamos denominar, quizá, topopeya) evocaría por sí mismo la realidad que se quería designar. Como lo dice luminosamente Benjamin: "Y si la lengua, como resulta obvio, no es un sistema convenido de signos, será necesario siempre acudir a ideas que se presentan, en su forma más rudimentaria, como explicaciones onomatopéyicas. Se trata de ver si pueden ser desarrolladas y adecuadas a una comprensión más profunda"[21].

La afirmación de Benjamin es importante porque contradice el postulado fundamental de la lingüística contemporánea enunciado por Saussure, que sostuvo como base inamovible de su teoría la arbitrariedad del signo. Si la misma representación o significado mental –por ejemplo, *caballo*– puede decirse en formas muy diferentes en distintas lenguas –*Pferd* en alemán, *horse* en inglés, *cheval* en francés, etc.–, esto significaría, en principio, que ninguna ligazón "natural" une al significado con el significante –la cadena fónica que lo representa–. La barra que divide a significado de significante para constituir el signo en Saussure, es decir:

$$\frac{\text{significado}}{\text{significante}}$$

es comparable en cierto modo a la que en Occidente, desde el pensamiento platónico, divide al alma del cuerpo, y tendrá, de modo análogo, consecuencias

---

[21] Prosigue Benjamin: "Leer lo que nunca ha sido escrito. Tal lectura es la más antigua: anterior a toda lengua –la lectura de las vísceras, de las estrellas o de las danzas–. Más tarde se constituyeron anillos intermedios de una nueva lectura, runas y jeroglíficos. Es lógico suponer que fueron éstas las fases a través de las cuales aquella facultad mimética que había sido el fundamento de la praxis oculta hizo su ingreso en la escritura y en la lengua. De tal suerte la lengua sería el estadio supremo del comportamiento mimético y el más perfecto archivo de semejanzas inmateriales: un medio al cual emigraron sin residuos las más antiguas fuerzas de producción y recepción mimética, hasta acabar con las de la magia".

inconmensurables. En la teoría dicotómica alma/cuerpo, el argumento central es la muerte, que distingue la caducidad física de la inmortalidad espiritual. En la teoría significado/significante, la volubilidad de los significantes –comparables a los cuerpos por su variedad y fragilidad– requiere una drástica distinción con respecto al orden platónico de los conceptos, que nos garantizan la permanencia de su identidad epistemológica. La teoría onomatopéyica, por el contrario, excluye esa dicotomía y mira las variaciones fonológicas como distintas expresiones que se irradian desde un determinado centro semántico, al cual se conectan mediante un lazo significativo y manifiesto en sí mismo. Distintas lenguas pueden aproximarse de distintos modos a cada uno de esos centros semánticos, naturalmente; pero la vinculación primigenia no es nunca arbitraria.

Un posible ejemplo: la G señala realidades que tienen que ver con la garganta: grito, gruñido, gárgara, gula, gusto, golosina, gorjeo. En el material que veremos más abajo, se da la L para lo relacionado con la lengua, y asimismo con la leche y sus cualidades, mientras que la M se encuentra ligada con la mama y el amor. El adelantamiento de los labios del niño en busca del pezón materno está recordando y a la vez presintiendo y pidiendo la presencia de la *mama* y la leche: la voz que emite no hace sino reforzar el gesto de reclamo y al mismo tiempo conjurar la presencia de la madre.

Pero la noción de onomatopeya no agota el sentido más profundo en esta situación. Lo que parecería es que en el grupo con el cual se inauguran, metafóri-

camente hablando, las raíces indoeuropeas, la forma
original de agrupar realidades que tenían algo en común, lo que más tarde se definiría como creación de
conceptos, ideas abstractas, categorías, géneros y especies, no habría consistido primariamente en un proceso puramente intelectual. Antes bien, aquello que
acontecía primordialmente era una suerte de "tomar
conciencia" de que diversas realidades provocaban
una misma sensación, una misma ubicación de la voz
en el cuerpo, o tenían todas alguna semejanza con
sonidos y ruidos que se escuchaban. No se trataba de
conceptos abstractos, sino de sensaciones comunes,
que correspondía nombrar de la misma manera. Las
variaciones dentro del grupo verbal enlazado a la
misma realidad se expresaban modificando el monosílabo original, raigal, con toda forma de afijos y elementos similares.

Cuando actualmente decimos que las palabras
"tienen sentidos", no sospechamos hasta qué punto
derivan realmente de nuestros sentidos y provienen
de sensaciones primitivas que aún podemos reavivar
en nosotros. Por ejemplo, una palabra como *psiquis*,
alma, comienza con el sonido *ps* que manifiesta el
soplo de aire que espiramos; en griego *psycho* es so-
plar, respirar, y *psyche*, soplo de vida, aliento, alma,
cosa amada, deseo.

La misma palabra nuestra, *alma*, viene de *animus*,
en latín, que significa lo mismo, ánimo y ánima: soplo,
aire, brisa, principio vital, vida. El alma no es, en la
visión del lenguaje, un ente abstracto separado del cuerpo, sino el signo más evidente de su vitalidad: la respiración. De algún modo, cabe decir que la etimología es

una empresa de recuperación del cuerpo: no sólo del cuerpo de la palabra, sino de nuestro propio cuerpo. En realidad, el cuerpo –que constituye el asiento de las pasiones– es la primera palabra, la palabra fundamental de la cual todas las demás palabras emanan. Por eso muchas de las palabras que denotan las diversas pasiones en nuestras lenguas provienen claramente de los nombres que designan zonas, propiedades y acciones de nuestros cuerpos.

Esta forma de elaborar, de interpretar la realidad externa que llega a través de los sentidos, crea o conserva una percepción intensa de la relación entre las cosas, y en particular de los "parecidos" o analogías que las unen. Hoy no se nos ocurre que la leche, el fluir de la leche, tenga algo que ver ("es básicamente lo mismo" –sentiría un "indoeuropeo"–, ¿o tal vez diría "es la raíz"?) con el fluir de un río, o con algo viscoso, o con cualquier forma de placer intenso. Los componentes de la realidad se nos aparecen distintos, separados o aislados. Los tres significados de *ma, ya mencionados, lo bueno, lo húmedo, lo maternal, no se encuentran separados como en las entradas de los diccionarios actuales, sino que parecen darse conjuntamente en la entrañable experiencia fetal, el paraíso de donde se nos arroja ineluctablemente. Y luego acontece, irreparable, el mundo que separa aquello que estuvo unido previamente a la explosión, el *Big Bang* del lenguaje, el despiadado análisis de una síntesis que nunca volveremos a recuperar.

Lo que preserva actualmente entre nosotros esa misteriosa vía de percepción y expresión sintética y sinestésica es la poesía, pero en ese territorio nos hemos habituado a hablar de "metáforas", relaciones imaginarias entre cosas y palabras. Por el contrario, para los primeros hablantes de las lenguas humanas, tanto como para los "hablantes del indoeuropeo" –categoría, como sabemos, utópica– no se trataba de relaciones fantasiosas o arbitrarias, sino de hechos muy concretos: para ellos, el poder mamar y deleitarse de muchas otras maneras eran una misma realidad, con distintas variantes. Lo que ocurre probablemente con la poesía es que ella no "recurre a la metáfora", sino que recupera esta misma forma de percepción, que no está totalmente eliminada de nuestra naturaleza sino sumergida, reprimida más allá de la conciencia, pero que resurge, por ejemplo, en el sueño, lleno de asociaciones regidas por una lógica que no es la consciente, la racional, pero que tiene ciertamente una coherencia propia. Más que comparaciones, entonces, las metáforas, desde este punto de vista, son como una suerte de apariciones donde se aglutinan experiencias que el pensamiento racional, que procede por abstracciones, nos ha obligado a desmembrar y analizar.

El capítulo siguiente, históricamente, es aquel en el que se pasa del simbolismo fónico, como lo llama Jakobson, a lo arbitrario del signo –esto es, cuando la "razón" se aparta del cuerpo y de la naturaleza y va poniendo etiquetas convencionales a su alrededor–. Una madre puede ser llamada "progenitora", "autora de nuestros días", "personificación de la Providencia" o cualquier otra de estas expresiones: ninguna de ellas reemplaza la emocionalidad primera y única de "mamá". Aquí presenciamos una gran crisis en la vinculación del hombre consigo mismo y con su ambiente, crisis de la que todavía no nos reponemos, a menos que acudamos a la memoria primigenia de las onomatopeyas germinales. Pero si acudimos a esta memoria, en el nombre del amor podemos recuperar entonces la relación con la madre amante y amamantante, que le da su sentido primario. De amor provienen también *amable*, que se emplea como la cualidad propia de una persona servicial o gentil, pero significa el que debe o puede ser amado, del mismo modo que decimos *querible*. *Ameno*, *amigo* y *amigarse*, en el sentido de reconciliarse, también provienen de la misma raíz *am* presente en *amor*.

Para ilustrar el dramático proceso en el cual las palabras van perdiendo su ligazón originaria con el cuerpo, nada más claro que la evolución de expresiones como el *ama de leche*, que acabó por expandirse como *ama de llaves*. La relación biológica maternal va transformándose así en una relación de cargo, de responsabilidad y finalmente de propiedad: acabamos en el *ama de casa*, de la que a su vez deriva, curiosamente, *amo de casa*, una expresión idiosincrásica del español, que no se encuentra en ninguna otra lengua. *Amo* es el nombre que da el esclavo a su señor: hemos pasado del don de vida de la *ama* a la relación de dominio y posesión. Es como si el varón, viéndose privado de los poderes nutricios, carente de mamas maternales, se apoderara de un nombre del que está en principio excluido para darle el contenido de un poder diferente: el de la posesión o propiedad privada.

De este modo, la voz que designaba a aquella que amamanta, portadora de amor en la especie, pasó a señalar una relación convencional de propiedad y dominación con respecto a objetos y sujetos externos. (Algún kleiniano diría que el varón se consuela, con la propiedad de bienes muebles, de su envidia por el seno materno. Dejemos al lector sus propias conclusiones.) Y notemos que esta relación se extiende también a la del señor con el sujeto humano rebajado a objeto poseído, en la dialéctica del amo y del esclavo. Es decir, mientras el ama es la que da vida, el amo es aquel que rebaja la dignidad humana de aquel a quien posee.

Para sintetizar lo dicho hasta aquí y definir la dirección a la que apuntamos, digamos que existe un cierto malestar en la lingüística respecto de las onomatopeyas. Son pocas las que definen como tales los diccionarios. Pero cuando se empieza a rastrear el origen último de nuestras palabras actuales, asoman incontrovertibles, con una gran frecuencia, o más bien como una constante. El motivo por el que se las desconoce, o se las niega, es el mismo por el cual se reniega del cuerpo, de nuestro componente animal, y se lo oculta.

Para las lenguas europeas las palabras son conceptos abstractos, entidades espirituales, no metáforas, y menos onomatopeyas, sonidos guturales "animales". Apenas tienen cuerpo. Pero las palabras, como nuestros cuerpos, se resisten y hacen ruidos; toda clase de ruidos. Las palabras son ruido y significado, ruido e idea. El cuerpo de las palabras no es sonido puro, etéreo; las palabras no son puramente aéreas, espirituales. Están hechas de aire rudamente modulado por la garganta, los dientes, la lengua y siguen teniendo mucho de los primeros gruñidos, cercanos a los de los primates, que estuvieron en su origen.

Las onomatopeyas son testigos del origen encarnadamente corporal de nuestras palabras: "ideas", percepciones que originalmente no se sabían traducir en sonido más que ubicándolas en el propio cuerpo, en algún lugar de la boca. Pero sin vergüenza. Durante milenios, los que crearon la palabra *amar* para expresar sentimientos de afecto hacia toda clase de seres en toda clase de circunstancias, tenían claramente presente y no se avergonzaban de que fuera algo parecido a lo que habían sentido al mamar cuando niños; pronunciaban la palabra *amar* sabiendo que era el mismo gesto y sonido con que entonces habían pedido la mama.

Son muchas las palabras para las que el rastreo etimológico descubre una onomatopeya original, desdibujada en las derivaciones posteriores. Y a muchas otras, sin duda, la espiritualizadora civilización occidental las fue ocultando tan bien que resulta difícil descubrírsela.

El amor griego. Intermedio platónico

Si abandonamos el latín y pasamos al griego, encontramos que allí también **ma* irradia su fuerza vital como aquello que genera, produce y mantiene la vida. Así, *maia* significa madre o nodriza, la que alimenta, *maieuo* quiere decir actuar como partera, y *maiosomai*, dar a luz; *maiosis* es parto. *Ma-yéutica* es el arte de dar a luz, a la vez que representa el método ideado por Sócrates para adiestrar a sus discípulos en el arte de responder e interrogar las verdades fundamentales de un modo iluminante, dando a luz lo que corresponde al espíritu.

Naturalmente, no es *amor* el único nombre del amor. También disponemos de *Eros*, que Platón consideraba como el deseo procedente de la unión de la abundancia y la carencia, y que proviene del verbo griego *erao*: amar con pasión, desear vivamente; el vínculo materno no se encuentra aquí manifiesto de ningún modo. (Acaso *Eros* derive de *er: movimiento, intensidad; Eros y Hermes mensajero, llevan ambos alas; *eris* es lucha, combate, rivalidad. Como en *eis, se unen en esta raíz deseo intenso y combate, ira.) Lo interesante es que ni el latín ni las lenguas modernas, tan ricas en términos tomados del griego, acogieron los posibles préstamos o descendientes de este nombre como verbo –aparte del derivado *erotizarse*–. Pero en nuestra memoria mitológica, alimentada por el arte de todos los siglos, seguimos contando siempre con Eros, hijo de la Noche y el Viento, creador del cielo, la tierra y la luna, nacido de un huevo de plata y motor del Universo[22].

Dejando la mitología de lado, es interesante el recorrido que podemos efectuar entre otros términos heredados del griego y relacionados con el amor: por

---

[22] Como lo recuerda Octavio Paz, Eros es un semidiós cuya tarea es comunicar a los seres vivos; de allí sus alas. Como hijo de la Pobreza y la Abundancia –según la visión de Platón en el *Banquete*– es a la vez deseante y deseado, pródigo e indigente. Por la visión del cuerpo amado ascendemos a la contemplación de la belleza absoluta. "Sin alma no hay amor, pero tampoco lo hay sin cuerpo. Por el cuerpo, el amor es erotismo, y así se comunica con las fuerzas más vastas y ocultas de la vida. Ambos, el amor y el erotismo –llama doble– se alimentan del fuego original: la sexualidad. Amor y erotismo regresan siempre a la fuente primordial, a Pan y a su alarido que hace temblar la selva."

ejemplo *agape*, banquete amistoso, proviene de *agapao*, transmitido por los hebreos al griego. Notemos que para los hebreos el ancestro de *agapao* se refería a conductas escandalosas como la de Jezabel, hija del rey de Sidón y esposa de Ajab, rey de Israel, introductora en Israel del culto de Baal, a la que los profetas calificaban de prostituta; en su pasaje al griego la palabra fue limpiándose de las antiguas connotaciones venales. *Agapao* es recibir o tratar con amor: amar, querer, preferir, estar contento o satisfecho. Es el amor que se da sin mirar otra condición que la del prójimo humano. Como lo indica Roxana Kreimer, el ágape cristiano difiere del Eros o la *philia* de los griegos en que no es el apetito de un bien superior que nace de la necesidad de ser feliz, sino una dádiva de vida que puede llegar hasta la entrega de sí mismo. No es una relación binaria, sino una apertura a lo universal, que incluye a los enemigos. El nombre propio Agapito significa *amado*.

Muchas otras palabras, como *philosophia*, amor por la sabiduría (a la que Platón opone el deseo del honor, del dinero y del placer), *Theophilo*, amado por Dios y tantas otras que contienen el elemento *philo*, provienen del verbo griego *phileo*, que significa: 1) sentir amistad, amar; 2) mirar, tratar como amigo, ayudar; 3) dar muestra de amistad, besar; 4) acoger con agrado, aprobar; 5) complacerse en; 6) tener costumbre de; 7) besarse mutuamente. En griego, *stergo*, que, curiosamente, no ha dejado vestigios en el español, ni en otros idiomas contemporáneos, es el amor entre padres e hijos; y significa: 1) amar con ternura, querer; 2) resignarse, soportar, consentir (en perdonar); 3) desear, anhelar, pedir respetuosamente. Mientras *philia* es el amor alegre, compartido, *storge* es la ternura con que se relacionan, de un modo algo animal, los miembros del nido familiar.

Cabría preguntarse por qué nosotros, los modernos, carecemos de verbos que señalen este amor de ternura y miramientos. La distinción entre el amor pasional, *erao*, el amor de amistad, *phileo*, y el amor familiar, *stergo*, nos es desconocida lexicalmente, es decir, no tenemos diferentes vocablos para señalarla. Cuanto más, distinguimos entre *querer* (proveniente de *quaerere* en latín, que significa originalmente desear tener, buscar, preguntar, como lo atestigua *inquirir*, y se refiere tanto a personas como a objetos) y *amar*. El primero, que significa desear tener, presenta un cariz más egoísta y posesivo que el que define la vehemencia del amor, dispuesto en ocasiones a la entrega absoluta y el sacrificio. También contamos con *cariños* y *afectos*, que designan sentimientos amistosos o familiares; notemos, sin embargo, que no hay verbos que transmitan directamente estas nociones.

Pero en Grecia, donde nace el mito de Edipo, estas distinciones, no por azar, se sintieron necesarias. Entre nosotros, en cambio, es interesante advertir cómo el amor pasional conlleva los mismos nombres y las mismas sílabas que denotan el amor materno y es, desde el punto de vista lingüístico, la misma cosa. El *am* que designa vorazmente el seno materno y es probablemente la entrada a la conciencia lingüística del infante, su inmersión súbita en el mundo donde existen signos y referentes, es el mismo que inaugurará la experiencia erótica del adolescente y del adulto en su encuentro con el amor.

Dice Silvia Vegetti Finzi: "El paradigma edípico orienta todas nuestras futuras pasiones, plasmándolas con las figuras, los modos y los tonos de una época. El conocimiento de sí mismo se define como conocimiento del pasado. Los adultos son sólo réplicas, actores teatrales con respecto al niño que, a su debido tiempo, ha enfrentado con el coraje del héroe las pasiones que le impuso su destino. La prioridad de las pulsiones incestuosas redimensiona el amor romántico, demostrando que él mismo no es más que amor infantil vuelto a nueva vida, un intento de colmar ese primer gran deseo por la madre destinado a permanecer insatisfecho, por lo cual el amor es sustancialmente nostalgia: 'on revient toujours à ses premières amours'". (Siempre se vuelve al primer amor, recuerda un tango célebre.)

Como lo hemos visto, Spielrein y Freud habían dicho lo mismo, cada uno a su manera, y el lenguaje parece confirmarlo: en nuestros amantes seguimos buscando a nuestros padres, así como en nuestros hijos a nuestros amantes. Pero esto no impide que muchos de nosotros pensemos, sin embargo, como Rilke, que el amor es en el niño un aprendizaje que luego se abre al infinito.

Love, *Liebe*: libido y alabanza en lenguas germánicas

Si en las lenguas romances (y no sólo en ellas) el término que significa amor proviene de una raíz indoeuropea que apuntaba a la relación fundante de madre, niño y amamantamiento, y en última instancia, consistía en un monosílabo formado básicamente por una *M* más vocal, que expresaría, onomatopéyicamente, el hecho mismo de apresar la mama, en las lenguas germánicas los términos que expresan la idea de amor, *love* en inglés, *Liebe* en alemán, *liefde* en holandés, están ligados a la L, provenientes todos de un monosílabo formado básicamente por ese sonido (complementado por una vocal) que requiere, para articularse, un gesto análogo al que efectuamos al lamer.

La raíz indoeuropea relevante aquí es **leubh*: amar, desear. De allí proviene una numerosa descendencia: en sánscrito *lobháyati*, desear; en griego *lipto*, desear vivamente; en anglosajón *lioef*, querido, y *lufu*, amor; en latín, finalmente, *lupa*, prostituta (de donde nuestro *lupanar*), el verbo *libet*, que significa place, agrada, gusta, y *libido*, ansia, deseo intenso. "La libido es la energía que tiene que ver con todas aquellas pulsiones vinculadas con el amor", nos dirá, memorablemente, Sigmund Freud[23].

De la misma raíz **leubh* provienen también otras palabras que significan alabanza (alemán *lob*, holandés *lof*, francés *louange*, y, a partir del latín *laudare*, loar, loa). Otro grupo enlazado con la misma raíz se relaciona con verbos que implican crédito, creencia y confianza: inglés *believe*, alemán *glauben*, holandés *geloven*. *Lubains* significa *esperanza* en antiguas lenguas germánicas. No resulta demasiado difícil imaginar que de la idea de considerar agradable, desear y amar a alguien,

---

[23] Notemos que en el entendimiento contemporáneo, las pasiones son vistas en general como fuerzas negativas; el sano amor por la comida –saludable en sí– no recibe nombre propio, pero sí la glotonería; la legítima afición por el ocio merecido se retrata negativamente sólo como pereza; el buen amor por las cosas, la abundancia, la riqueza se censura fácilmente como avaricia, etc.

se pase fácilmente a la de alabar y, probablemente, por la vía de "estar satisfecho con", a confiar, creer y esperar en esa persona. Porque se ama se encuentra agradable, porque se encuentra agradable se alaba, y uno tiende a confiar o creer en aquellos que son loables y agradables. El amor y el deseo se apoyan en la admiración y en la confianza, no sólo en la dependencia materno-infantil de la experiencia lactante, como en el caso anterior.

También la raíz *leubh* es responsable de derivaciones que indican permisividad o autorización para una actividad determinada, como el antiguo inglés *leaf*, permiso, actualmente *leave of absence*, licencia, o el holandés *verlof*, y el alemán *erlauben*, con el mismo sentido. El amor cree, confía y otorga, es lo que parecen decirnos estas derivaciones.

La *L* primitiva parece irradiar, más allá de los descendientes de *leubh*, un conjunto de correspondencias eróticas que no parecen casuales. El griego *lilaiomai* (también representado dialectalmente como *leliemai*) significa desear vivamente, hacer esfuerzos, amar con pasión. *Lenaios* es el dios del lagar, sobrenombre de Baco; *lenis* es bacante, y *lichnos*, goloso, curioso, ávido, codicioso. Del amor vamos deslizándonos a la esfera del placer. Porque la *L* no se relaciona sólo con el amor, sino con la lascivia y la lujuria. Una raíz indoeuropea, *las*, irradia la noción de avidez; en latín la encontramos en *lasciuus* (de donde nuestro *lascivo*): juguetón, petulante, cualidad que se aplica a los animales y a los niños. Por ende, pasa a significar provocativo, irritante, y en consecuencia "que provoca el deseo, lascivo, licencioso". Se dice de las personas y de las cosas:

Ovidio llega a hablar de un fémur lascivo. *Lúbrico* (de donde desciende, curiosamente, *lóbrego*), *lubricidad*, *lubricante* pertenecen a territorios semejantes.

En alemán encontramos *Lust*, placer, deseo, diversión, y *lustig*, alegre, travieso, juguetón. Interesante es lo que dice el diccionario Webster sobre *lust* en inglés, término que define como placer, delicia, apetito. Entre las diversas acepciones encontramos: 1) Deseo de gratificar los sentidos; apetito físico. 2.a) Deseo sexual; 2.b) excesivo deseo sexual, especialmente cuando se procura satisfacción ilimitada. 3) Deseo abrumador, como cuando se habla de lujuria del poder. Muy interesante resulta, en la transición entre las tres definiciones, el pasaje de los apetitos corporales en general (1) al foco en lo sexual (2), y luego la extensión a otras pasiones (3). Donde nosotros decimos más abstractamente "la pasión o concupiscencia del poder", los anglohablantes dicen, más freudianamente, *lust of power*, "la lascivia o lujuria del poder". Comprobamos aquí la variedad y la vaguedad de sentidos en los términos que denominan a las pasiones: porque la clasificación de las pasiones sólo congela una realidad fluida. Como dice Spinoza, cada situación, cada "singularidad" es un estado afectivo igualmente único, irrepetible.

Los nombres de la lascivia en muchas lenguas coinciden en mostrar una L inicial: el inglés *lewd* significa licencioso; *lecher* es un libertino y, etimológicamente, un *licker*, un lamedor; *lecherous* significa lujurioso. En griego, *lekaleos* quiere decir obsceno; en italiano, *leccare* es lamer, adular, y *leccume*, golosina. En otras palabras, como lo dice Ayto: "La metáfora, originalmente asociada con los placeres de la mesa y de la cama, se apo-

ya en la lengua como órgano de gratificación sensual".
Es decir, la L de los términos germánicos que traducen
el amor, *love*, *Liebe*, provienen de esta misma L de *la-*
mer, y sería una expresión onomatopéyica de ese acto,
presente desde el origen en el amamantamiento, pero
que también puede representar la obscenidad, la gula
y la adulación.

Hay, además de las mencionadas, otro grupo de
raíces indoeuropeas con la consonante básica L y estructura parecida, con sentidos sugerentemente "afi-
nes". Éstas son **leb*: labio (*labrum*, *lip*); **lei* (con vocal
breve): viscoso, pegajoso (*limo*, *linere* en latín: untar;
linimento); **lei* (con vocal larga): fluir, manar. En griego encontramos *leibo* o *leipso* con un sentido próximo
al del latín *libare*, que quiere decir chupar, rozar, extraer, libar, probar un líquido; **leigh* es lamer; en otras
derivaciones indoeuropeas significa apetito, goloso.
*Leip es pegarse, adherirse; el griego *lipos* significa grasa, y *liparos*, gordo, rico. En todos estos casos lo evoca-
do parece apuntar a la esfera de lo gustativo y lo ali-
menticio, en la que lengua y labios juegan un papel
fundamental. Pero a veces la L remite a lo simplemente placentero. Así, **leid* significa jugar y deriva en el
latín como *ludus*, de donde tenemos *lúdico*, *ludibrio*.
Ludir es "frotar una cosa con otra o pasar una cosa por
otra restregando" y también "retozar amorosamente".

La presencia de la L en todas estas palabras, que
aunque también están atestiguadas en otras lenguas
se dan particularmente, como lo hemos visto, en las
lenguas germánicas –*lick*, *like*, *lip*–, nos remite entonces a un mundo experiencial en donde una boca-len-
gua acechante busca su camino de placeres y seduc-

ción. Lo que resulta interesante es cómo desde una cierta perspectiva fisiológica –la lengua es a la vez un órgano gustativo y sensual– se van desarrollando los nombres y calificativos que designan actividades licenciosas, glotonerías censurables o la búsqueda excesivamente ávida de poder a través de la obsecuencia o la lisonja –*lisonja*, otra palabra que exhibe una *l* sospechosa–. Los pasajes de uno a otro sentido son impactantes. Por ejemplo, en alemán *Lüsternheit* significa lascivia, concupiscencia, pero también codicia y avidez. Un mismo centro desaforado de ansiedad e insatisfacción parece centrifugar estas pasiones desde un misterioso nudo convergente.

Pero la *L* del deseo y del placer parece brillar en todo su esplendor sugestivo en los términos relacionados con la leche. Aun cuando no hay un nombre común en indoeuropeo para la leche, encontramos la raíz *(g)lak*, donde la *G* representa un prefijo intensivo. En griego se deriva *gala*, *galaktos*, leche, de donde *galaxia* o Vía Láctea; y recordemos que la Vía Láctea fluye del pezón de Hera en la mitología griega. En antiguo noruego la palabra para amar es *ala*, que significa nutrir, concebir, criar, y se relaciona con el latín *alere*, alimentar, criar: un *alumno* es alguien a quien se alimenta –como lo sabemos en nuestro país, en más de un sentido–. Nuevamente el amor se relaciona con la nutrición, y el sonido de la *L* transporta este significado[24].

---

[24] Por otra parte, la raíz *la* –que los diccionarios indoeuropeos describen como raíz onomatopéyica– significa mover la lengua, parlotear, refunfuñar, murmurar y también hablar; con ella se relaciona el *lullaby*, la canción de cuna inglesa, así como términos como gloso*lalia*, dis*lalia*, etc., que tienen que ver con fenómenos parti-

El diccionario latino produce sutilmente dos definiciones distintas acerca de las palabras derivadas de
esta raíz: *lacto, lactare*: 1) contener leche, mamar, amamantar; 2) atraer con halagos, seducir; proveniente del
latín arcaico *lacio*, tiene como herederos a *delicia, delei-
tar*. Acaso se trate de una confluencia casual (el segundo *lacto*, nos advierten los filólogos, estaría relacionado con el grupo de *lazo, enlace*, etc., antes que con la
leche). Pero la seducción que irradia la escena misma
del amamantamiento –y que los diccionarios clásicos
serán siempre incapaces de vislumbrar– deja pendiente la pregunta[25].

No deja de ser curioso el hecho de que las lenguas
romances, que emplean la nasal *M* para amor y amamantamiento, designan con *L* la leche, mientras las
germánicas, que hacen de la *L* la inicial de *love* y
lewdness, emplean la *M* de *milk* para designarla –aunque seguramente no es un azar encontrar en *milk* la
secuencia *l-k* del primitivo *(g)lak*–. Acaso los nombres
de la leche –como ocurre con los de la sangre– fueran

---

culares referidos al habla. *Eulalia* significa "hermosa habla, buena
dicción". La *L* aparece también en *lengua* (que tiene dos sentidos)
y en *lenguaje*. Al pronunciar la *L*, mostramos nuestra lengua, de
modo que no es raro que se haya asociado el órgano del habla con
la capacidad del lenguaje y su ejecución.

[25] ¿Y si la misma noción de lazo y enlace estuviera relacionada con
lac, con leche? *Lazo* viene del latín *laqueus*, que significa en primer
lugar lazo, nudo; hay otras dos raíces *L* con sentido similar: **lei*,
pegajoso, viscoso; **leig* > atar (latín: *ligo*); **leip*, pegarse, adherirse,
grasa (lípidos). Y tal vez la misma raíz **leg*, recoger, colectar, tan
fundamental, tenga que ver con esta serie de raíces *L* con sentido
de cosas que se unen o reúnen, originalmente por acción de algo
pegajoso.

cayendo bajo un cierto tabú, dada su importancia primordial, en ciertos períodos, en el territorio cultural indoeuropeo, lo que podría haber dado lugar a préstamos y desplazamientos entre distintas zonas lingüísticas. Cualquiera sea la explicación que se logre, lo importante es retener que tanto la L como la M son representantes fisiológicas del lamido y de la succión, respectivamente, y todo ello nos reconduce a una escena primitiva difícil de erradicar en la memoria ancestral del amor.

Que la leche ocupe un lugar primordial en los términos referidos al amor físico se vuelve patente entre nosotros, que llamamos al esperma leche: una manera obvia −a través de la equivalencia pene-pezón− de recomponer el equilibrio sexual desnivelado por el lugar primordial, anterior, de lo materno. Y la mala leche, al parecer, se predica sólo del esperma. El mamar y la felación son, como se sabe, términos equivalentes en nuestro lunfardo; y en el mamarse −en el sentido de emborracharse− probablemente se busque la beatitud y el olvido que provocan los primeros éxtasis de la lactancia.

Sólo una última alusión a otro hecho sorprendente: en una de las lenguas semíticas, es decir no indoeuropea, que conocemos, el hebreo, encontramos curiosas correspondencias con el léxico que hemos estado examinando, correspondencias que parecen orientarse en el mismo sentido ya explicitado. Para dar sólo algunos ejemplos: *lakak* y *lajak* significan lamer; *laham* y *lahat* arder, inflamar. Leche es *jalab*, acaso una metátesis o inversión de **lak*.

También, y acaso no arbitrariamente, en los nombres de la pasión en hebreo asoma la *L* del paladeo y el lamido: *lahat* es pasión, frenesí, entusiasmo, calor, hervor y como verbo significa calentar, hervir, entusiasmarse, apasionarse; *lehitut* es pasión, entusiasmo, frenesí, avidez, y *lahatut*, magia, hechizo, brujería, encanto. (Agreguemos de paso que mientras *dad* es pezón, seno, pecho, *dod* es amigo, amante, querido, tío: las correspondencias latinas entre *amar* y *amamantamiento* parecen encontrar un eco aquí.) Sería difícil argüir una mera casualidad en estas correspondencias. El signo lingüístico, menos arbitrario de lo que se solía suponer, apunta con insistencia a un mismo horizonte pasional en que lactancia y erotismo se fusionan en la memoria y la esperanza del placer.

Amor, onda germánica

Una raíz indoeuropea sumamente fecunda es **pri*, que significa *amar*. Según Benveniste, a quien seguimos en particular aquí, **priyos* significa *amado, querido*; es la calificación de aquello que se aprecia. Originalmente, significa la relación de afecto (no jurídica) con lo propio, lo de uno mismo ("pertenencia afectiva"). La difusión de esta poderosa raíz no se limita a las lenguas germánicas, donde hay muchas ilustraciones, como veremos enseguida: hay ejemplos en celta y en lenguas eslavas; *priyá* en védico significa querida o esposa y *priya* es la relación con la divinidad ("mutua pertenencia"); y en sánscrito *priya* es querido, precioso, calidades que se atribuyen a los zafiros. Según Juret, nuestro adjetivo *precioso*, descendiente del latín *pretiosus*, tiene la misma ascendencia, lo mismo que *probo* y *prosperidad*.

De la misma raíz descienden, en las lenguas germánicas, nombres que enlazan el amor, la amistad, la libertad, la alegría y la paz. Es decir, **pri* representa el núcleo etimológico común entre el inglés *friend* (amigo), *freedom* (libertad) y en alemán *Freude*, la alegría del inmortal himno de Beethoven. En antiguo alemán *friunt* es amigo, y *friyon* en gótico es amor. El puente se extiende también al alemán *Friede* y al holandés *vrede*, que significan paz. *Frida*, nombre femenino, lleva el mismo significado[26].

Hay otras resonancias relacionadas con esta raíz: del mismo modo que de Venus deriva el nombre del viernes entre nosotros, el inglés *Friday* –y sus correspondencias germánicas– subsume el nombre de la diosa del amor *Frigg*. (Curiosamente, el viernes penitencial cristiano contradice el aura erótica de este día de la semana, imponiéndole abstinencia de carne y ayuno.) *Vrijen* significa hacer el amor en holandés. Y en inglés, proveniente de *affray* –de *ex-fridu*: quitar la paz– tenemos *afraid* (*a-fraid*), que significa temeroso, es decir, privado de esa paz que ofrece la solidaridad del grupo. Por nuestra parte, hemos heredado *franco*, que significa sincero, libre de porte y abierto de trato. También tenemos *franqueza* y *franquicia*, libertad aduanera que se otorga a ciertas mercaderías. Por otra parte, *freis* en germánico significa libre, libertad. No es sorpren-

---

[26] Son comunes –y en general muy hermosos– los nombres propios de mujer que significan paz. En hebreo, *Salomé* y *Zulema* derivan de *Shalom* y *Shabat*, paz, así como *Irene*, en griego, significa lo mismo.

dente que en griego (y en latín) aparezca *frater*, que provendría de la misma raíz **pri* que origina "libertad" en las germánicas.

¿Existe una asociación natural que reúna estos sentidos? Parecería que sí, ya que la vinculación entre "libre" y "querido" es la relación propia entre quienes no son esclavos. Es decir, es el vínculo entre quienes se quieren porque se sienten iguales y forman un grupo afectivo, con derechos exclusivos, que otros no comparten. El amor no se da sino en libertad, es lo que expresa la semántica de estas palabras: el esclavo sólo depende o se somete. Pero además, el grupo es necesario para que el amor se despliegue plenamente: el individuo aislado no sería libre, desde esta perspectiva. Y la convivencia de hombres libres que se aman florece naturalmente en la paz.

Es interesante notar que la amistad que se predica entre los hombres francos, libres y pacíficos, es muy particular, en cuanto no se refiere a una común paternidad ni se enarbola contra un padre todopoderoso –como en la horda primitiva imaginada por Freud–, sino que es un cemento de solidaridad que permite diferenciarse y, eventualmente, defenderse de otros grupos. El paso del amor de los amigos al sentido de la libertad compartida se da cuando la relación afectiva entre personas trasciende el sentido institucional y se instala un signo de reconocimiento mutuo entre los miembros del grupo de un mismo origen, es decir, "bien nacidos". El mensaje que lo cataliza sería: "Nosotros, los que pertenecemos al mismo grupo, los que nos queremos, somos los libres, y por lo tanto nos distinguimos de los extranjeros, de los esclavos, de los que no nacieron del mismo tronco". Se trata, entonces, no de una libertad universal, sino de un privilegio grupal.

Notemos que esta noción difiere de la acepción actual de la libertad, que suele interpretarse como beneficio exclusivamente individual, ya que la noción de libertades grupales nos resulta ajena, en gran medida, en la cultura de egoísmo burgués que nos asedia. Es verdad que aún existen expresiones como "país o nación libre", pero la diferencia entre la visión original y la actual está en que libertad, individual o social, significa ahora algo negativo, "no dependiente", mientras que originalmente era una noción comunitaria positiva, cargada de afecto. Acaso el cambio de sentido haya comenzado ya con la cultura griega, en la democracia, con el rescate del individuo soberano, frente a la autocracia de los tiranos.

Nombres propios germánicos comprueban estas relaciones: *Federico* (originariamente *Frederick*) es el que trae la paz; *Sigfrido* es la victoria de la paz; *Godofredo* significa la paz de Dios. Los *francos* son miembros de la tribu germánica que invadió el norte de Galia, fundando el nombre de Francia. Después de la conquista de Galia, sólo gozaban de plena libertad política ellos, los étnicamente francos, y aquellos celtas sometidos que estaban bajo su protección; y así *franco* pasó a ser sinónimo de libre. No podemos, sin embargo, idealizar excesivamente los alcances de esta libertad, que asegurará la paz interna del grupo, pero que justificará por otra parte la discriminación y la guerra fuera de sus fronteras, cuando los integrantes del grupo se lancen a la caza y el sometimiento de los extranjeros y esclavos. Precisamente la palabra *filibustero*, que pro-

viene del holandés *vrij boeter*, significa literalmente:
libre saqueador de botines. Libertad adquiere aquí la
connotación de inmunidad o impunidad.

Es curioso que en las lenguas germánicas aparezca *Leute*, gente, pueblo, grupo étnico nacido del mismo tronco, que proviene de la raíz *leudh*, subir, crecer.
Leudh dio a su vez *liber*, *eleuteros* en griego y *libertas* en
latín. Es decir, encontramos aquí nuevamente una raíz
que se asocia a los significados de grupo cohesionado
y de libertad, aunque a través de diferentes lenguas
esta vez.

El sentido de libertad, tanto en las lenguas griega
y latina (de la raíz *leudh*) como en las germánicas (de
la raíz *pri*), no es individual, no es la ausencia de coer-
ción, sino la condición de hombre superior, de hombre
noble, "de buena cuna", que se tiene por formar parte
de un grupo especial, el propio. Libertad, en su origen,
tiene sentido colectivo.

Ciertos textos contemporáneos parecen acusar a
la democracia como la instancia política que hace desaparecer las pasiones. En realidad, cabe pensar, con
Spinoza, que la gran pasión que alienta bajo las aspiraciones de la democracia es la libertad, que se relaciona
con la ignorada pasión de la fraternidad. La horda
freudiana es la contracara de esta pasión poco adverti-
da, y sin embargo fuerza motriz de no pocas revolu-
ciones personales e históricas. Para Spinoza la plena
realización de la democracia es la comunidad basada
en la amistad. Para Hobbes, en cambio, el vínculo es el
común temor. Es el desarrollo capitalista, más que la
democracia, el que introdujo la *"coolness"* y el despres-
tigio de las pasiones cálidas, en particular, la de la fra-

ternidad construida sobre el cimiento de la libertad y de la paz. Así se desarrolla la sociedad burguesa cuyas pasiones, frías, son el lucro, el ahorro, la competencia, y hoy el consumo "apasionado".

En las lenguas germánicas, el léxico relacionado con el amor no se limita a las ramificaciones de *pri. Interesante, por ejemplo, es la etimología de la palabra *whore* (*puta* en inglés). Su base, según Webster, es la raíz indoeuropea *qa* o *ka*, que quiere decir querer, desear, gustar de, y se relaciona con el latín *caritas* y con *carus*, querido, precioso, del cual derivan entre nosotros *caro* y *caricia*. Probablemente se usó primeramente como eufemismo, para significar a la mujer que mantenía relaciones sexuales fuera del ámbito familiar –así como se llama *querida* a una amante–. Pero el término fue evolucionando rápidamente para designar actividades promiscuas, que conllevaban paga. Luego se creó el verbo *to whore*, que significa darse a la prostitución.

En avéstico y persa, *kama*, de la misma raíz, significa deseo, amor (de allí Kama Sutra): Kama, dios hindú del amor, hizo nacer en el espíritu del Creador el deseo de tener compañía. Las lenguas indoeuropeas adoptan la raíz desplegándola en el espectro de todas sus posibilidades: así, en lituano, *kamaros* significa lascivia, lujuria; en letón, *kamer* quiere decir tener hambre, probablemente relacionado con el mismo sentido; en irlandés antiguo, *caraim* es amar, y *carae*, amigo. *Camelar*, de origen gitano (lengua indoaria nórdica, grupo índico), relacionado con esta misma raíz, significa galantear, seducir engañando –de allí nuestro *camelo*–. Parece entonces que ha existido una progresiva degradación del término, que significaría en primer lugar amor, deseo, después lascivia y –en el caso de la mujer– prostitución. Este tipo de degradación de un término es muy común, en particular con referencia a la sexualidad de la mujer, y la investigación al respecto es un capítulo fundamental de la historia de las relaciones entre los sexos a lo largo del tiempo.

Deseo, concupiscencia y voluptuosidad

Inseparable del amor es el deseo. Spinoza lo define magistralmente como el apetito consciente de sí mismo, la esencia misma del hombre, el empuje con que el ser humano se esfuerza en perseverar en su propio ser. Con todo, el lenguaje parece tener una opinión más precavida sobre el origen del deseo.

Según la mayoría de las fuentes, parecería que *desear* (de *de-siderare*) tiene una formación análoga a la de *con-siderar*, actividad del que va con las estrellas –*sidus* es estrella–, es decir, las consulta al caminar o navegar o pensar –considerar el rumbo es acordar el timón al curso de las estrellas–. Recordemos que en astrología la consulta a los astros se realizaba ante todo para descubrir el destino, que "está escrito en las estrellas", y también para saber cómo obrar en consecuencia; la utilidad práctica, física, aplicada a la navegación, vino en segundo lugar.

El sentido de *con-siderar* se extiende luego al de examinar con respeto y cuidado. El que *de-sidera*, en cambio, deja de ver su camino en las constelaciones. *De-siderare*, entonces, es echar de menos, buscar y no encontrar el destino en las estrellas: los astros no dicen

nada, o no quieren decir nada, o uno no sabe descu-
brirlo. Mientras las estrellas representan el destino inamovible, el deseo, que no sabe leerlo, es fugaz, y con-
traría sus dictados. El que desea se aleja del destino
serenamente fijado por los astros, y en la ausencia del
bien querido y perdido, esta distancia redobla su
desasosiego y ansiedad.

Otra pista etimológica alternativa vincula en cambio *desiderio*, que en latín clásico se definía como liber-
tinaje y voluptuosidad, con *desidia* (de *de-sideo*: permanecer sentado, inactivo) o indolencia, es decir, un de-
jarse llevar por pensamientos ociosos que acaban por
desplegarse en fantasías eróticas o bien nos impulsan
a sucumbir ante emociones abrumadoras. En ambos
casos, el deseo aparece como una forma de errancia o
de carencia que delata la vulnerabilidad del deseante.
Otros ejemplos: en holandés, *desear* se dice *beggeren*,
que parece asociarse naturalmente con el inglés *beg*,
mendigar. La coincidencia nos recuerda inevitablemente la entrada del *Banquete* de Platón, que ya menciona-
mos, cuando la Carencia o la Pobreza, en forma de
mendigo, se echa a dormir, y la Abundancia se encuentra carnalmente con el desconocido: de allí nace Eros,
que proviene del enlace de la carencia con el exceso,
en la perspectiva platónica.

Volupia era la diosa del placer entre los romanos;
voluptas, que se usaba comúnmente en plural,
voluptates, significaba con frecuencia toda clase de placeres, pero ante todo los eróticos. Su ascendencia es
*wel, raíz que da también origen a *voluntad* y que significa *desear*, *querer*; se expresa esta raíz asimismo en el
inglés *will*. El entramado de lo voluntario y lo pulsional,

de lo placentero y lo deliberado, se entremezcla aquí con curiosos repliegues que deberíamos interrogar. Y acaso convenga citar aquí a Pascal: "La concupiscencia y la fuerza son la fuente de todos nuestros actos. La concupiscencia lo es de los voluntarios; la fuerza, de los involuntarios".

Anatomía del placer

En los orígenes del placer se encuentra la raíz *plak, que significa lo plano, lo sosegado, como el mar en calma; plazas y playas comparten esta lisura placentera. En latín, el verbo *placare* tiene que ver con lo que apacigua suavemente y produce placer. Una segunda raíz *plak significa pegar, golpear. Las dos raíces representan la onomatopeya del golpe que aplana, aplasta, *aplaca*.

Asimismo, derivan del primer *plak, en griego, *plakous*, que es *pastel*, y en latín, *placenta*, una suerte de torta o pastel; en ambos casos la imagen es la de una masa redonda y aplanada, como el órgano que se designa con el mismo nombre, blando y esponjoso, que tanto en latín como en español representa el ámbito nutricio del que se alimenta el embrión. De la misma raíz deriva el italiano *piano*, que significa a la vez plano, llano y lento –imágenes todas de sosiego–.

Aun cuando la asignación es polémica, ya que diversas fuentes difieren al respecto, la raíz de *placenta* podría asociarse entonces con la de *placer*, *complacer*, *plácido* y *aplacar*. En ese caso, el primer placer o placer por antonomasia sería el que experimenta el feto alimentado y apaciguado en el resguardo del seno materno. Recordemos que en la genealogía del amor la referencia a lo materno resulta insoslayable; aun cuando requiere comprobaciones ulteriores, la hipótesis no parece del todo descabellada.

En su célebre texto *Más allá del principio del placer*, Freud define al mismo como una tendencia al servicio de una función: la de despojar de excitaciones al aparato anímico. Esta tendencia, según él, participaría de una tendencia más universal, la de "regresar a la paz de lo inorgánico": "Las pulsiones vitales acarrean consigo estados de tensión cuya resolución es experimentada como placer. El principio de placer parece estar directamente al servicio de la pulsión de muerte". "El fin de la búsqueda de satisfacción de la pulsión es suprimir el estado de tensión que reina en la fuente pulsional", nos dice Freud. Como vemos, esta definición del placer, por curiosa que parezca a los ojos del profano, coincide en cierto modo con la genealogía de la palabra: según ella, la culminación del placer no es su fase frenética, sino un estado comparable a la superficie del mar apaciguado, "la paz de lo inorgánico". Ya lo sabían los hablantes del latín que crearon el término "placer".

3

Las pasiones oscuras

1. Codicia y avaricia

El nombre de la codicia proviene de *cupio*, que Ernout y Meillet definen como un verbo de carácter afectivo, y que significa en latín *desear, tener ganas de*. *Cupiditas*, derivada de ese mismo verbo, podía significar también ambición y parcialidad. *Cuppes* significa glotón, goloso o descarriado. *Codicia* desciende del bajo latín *cupiditia* –que en francés dio *convoitise* y en inglés el verbo *to covet*–. *Concupisco* y *concupio* –formas intensificativas de *cupio*– significan ser preso del deseo en forma apasionada y ardiente. Se trata de un deseo violento e instintivo, un ansioso anhelo sensual que se ve representado en toda su plenitud por *Cupido*, dios latino del amor, hijo de Venus, que traduce el griego *Eros* –aun cuando, curiosamente, es un nombre de género femenino–.

La raíz indoeuropea es **kwep*. Originalmente es una designación del fuego y sus efectos, entre los cuales el de hacer hervir los líquidos, y de aquí la metáfora de la agitación y el movimiento violento experimentado por el hombre. Es decir que el calor que cocina, hace hervir, mueve violentamente los líquidos, produce vapor,

humo, después es "metáfora" de fuego interior, del
aliento caliente –similar al vapor del deseo que hace
sacudir y hervir por dentro ("calentura")–. A lo largo
de varias transformaciones, *kwep* nos dará *vapor*, que
también está representado en el griego *kapno*. La
capnomancia, término derivado de esta raíz, significa
adivinación por medio del humo. En sánscrito, *kup* es
agitar y *kupyati* significa *hierve, se encoleriza*; en lituano
kvâpas es aliento, soplo, y *kvepia*, desprender un olor;
en letón, *kuppo* quiere decir *humeo*. Es decir, del sentido original los latinos conservaron la idea de calor, aire
caliente, humo, pero sobre todo derivaron de la raíz la
semejanza con el calor interno del deseo, aun cuando
se trataba del deseo intenso tanto de algo bueno como
de algo malo.

En el latín eclesiástico, la Iglesia, desconfiando por
principio de cualquier deseo intenso, apasionado, cul-
tivó el derivado *concupiscentia*, término abstracto, con
sentido negativo de deseo vehemente de bienes "sen-
sibles", inferiores, y en particular "apetito desordenado de lascivia y deshonestidad". Bajo la influencia de
los teólogos cristianos, la concupiscencia cae bajo sospecha. Por algo el Drae –aun concediendo, en una de
sus acepciones, que puede ser "deseo vehemente de
algunas cosas buenas"– dice que la concupiscencia es
"en la moral católica, deseo de bienes terrenos y, en
especial, apetito desordenado de placeres deshones-
tos". Los teólogos distinguen tres órdenes de concupiscencia: la de los sentidos (en particular, la de los ojos),
la del saber y la del poder. Moliner apunta que en el
caso de la codicia de saber, la concupiscencia puede
referirse a cosas espirituales y no envolver censura.

No es necesario volver a recordar que lo erótico –como lo colérico, en donde el Eros también resuena– se halla muy próximo a lo caliente: *arder de deseos, estar caliente* son imágenes que no sorprenden en los dominios de la concupiscencia. El interrogante se presenta en cuanto a la relación entre concupiscencia y codicia, aparte, naturalmente, de la avidez o la intensidad con que suelen experimentarse estas pasiones. Por alguna razón, Dante representaba la codicia en la figura de una loba, que también representa a la prostituta, en quien concupiscencia y codicia parecen enlazarse muy naturalmente. Y aquí podemos recordar aquello que dice Shakespeare en *Timón de Atenas*: "la codicia es la puta universal".

El Diccionario de la Real Academia define la codicia primero como afán excesivo de riquezas, luego como deseo vehemente de algunas cosas buenas, y sólo en último término como apetito sensual. Este muestrario invierte el orden de definiciones en el diccionario latino, que primero define a la codicia como deseo, luego como ambición y sólo finalmente como ansiedad de riqueza. *Cupidus pecuniae* era uno de los nombres del avaro. A través de este personaje nos encontramos con el verbo latino *aveo*: desear con fuerza, ansiosamente. De *aveo* vienen *avaricia, avidez* y *audacia*: *audaz* es quien se arriesga por lograr lo que ansía. La audacia parece proceder del vivo deseo.

Avaro se aplica a quien ama el dinero, el que tradicionalmente lo junta para poder verlo y contarlo; actualmente, en la era del capitalismo, avaro es el que lo acumula exclusivamente para multiplicarlo. La sociedad de mercado, basada en el sistema capitalista, puede llamarse una sociedad avara en cuanto se define precisamente por la acumulación de capital. Mientras el deseo de poder tiene que ver con la ambición, el deseo de riqueza se relaciona con la soberbia y el orgullo, y con formas de poder que llegan a la crueldad, porque se intenta eliminar a quienes son un obstáculo para la posesión y robo de esas riquezas. Shakespeare nos lo recuerda en Macbeth: "La avaricia insaciable, como una de las formas con que se disfraza el poder, penetra a mayores profundidades y echa raíces más nocivas que la lujuria, fruto impuro de la poca edad. La avaricia ha sido la espada que ha asesinado a muchos de nuestros reyes".

Vigil Rubio nos dice que la primera clase de avaricia, amor al lucro ilícito, según Aristóteles, "hace que los hombres busquen provecho en todas partes y presten más atención al lucro que a la infamia", esta última una descripción que, dicho sea de paso, se adapta de modo escalofriante a la corrupción global de nuestros tiempos. Prosigue Vigil Rubio: "Tiene de común con la prodigalidad el que ambas tornan al dinero improductivo. Se le consideraba vicio pestilente: en los manuscritos medievales los monos suelen representarse defecando monedas". En griego, se llamaba *escatófago* al avaro: literalmente, el que come los excrementos. (La raíz indoeuropea *skor* significa *excremento* –de donde deriva previsiblemente nuestra *escoria*–.) Es decir que, mucho antes que Max Weber y Freud ligaran el capitalismo y el espíritu de ahorro excesivo con la retención de las heces, el lenguaje denunciaba esta relación con toda transparencia: no cabría esperar una confirmación más evidente. La etapa sádico-anal en la evolución del individuo, según la visión corriente del psicoanálisis, se caracteriza por la retención y el control posesivo de las heces, fase que, mal resuelta, termina con el tiempo en retención de dinero y búsqueda de poder.

Cabe advertir que el mismo sonido de *avere, aveo*, que los latinos pronunciaban *aueo*, requiere y evoca la expresión facial, o más exactamente oral-bucal, con que manifestamos la avidez por comer algo, con un gesto parecido al que implica ¡*aaau!*: gran apertura de la boca como para tragarse un enorme bocado, y una probable relación con *au-llido*.

Es interesante observar que en principio tanto *cupio* como *aveo* significan desear intensamente, sin otra especificación; es sólo en sus derivados modernos –concupiscencia, codicia, avaricia– que adquieren las connotaciones que hemos explicitado, orientadas hacia la lascivia y el dinero, y censuradas en general por la Iglesia y la sociedad. Acaso significa esta evolución que, al menos desde el punto de vista lingüístico, no hay deseos intensos que resulten inocentes, y que los imanes más poderosos de nuestra existencia nos adhieren fatalmente al placer o a la riqueza. No existen nombres específicos –por lo menos, no los hay en nuestro idioma– para el deseo de amor, de la fruición estética, de la fusión mística, o de la paz.

Otros nombres relacionados semánticamente con los que acabamos de ver se asocian a diferentes metáforas. Según Zimmerman, *amarrete* viene "del portugués *amarreta*, diminutivo de *marra* [en portugués], cabo de cuerda que impide el aflojamiento, y provee así una metáfora transparente en cuanto al afán de retener el dinero". En español existe *amarra*, y *ama-*

rrar, que según Corominas "viene del neerlandés *aanmarren*: atar".

Agarrado, una imagen coloquial común entre nosotros, muestra, si se la escucha bien, la garra de la que procede. En cuanto a *tacaño*, se origina en *tacanáh*, término hebreo que significa ordenanza, reglamento, arreglo, convenio financiero que se realizaba en las comunidades judías medievales y que se aplicó luego, con propósito de discriminación, a los judíos. A su vez, *mezquino* viene de *miskin*, que significa *pobre* en árabe. En este caso, las etimologías atestiguan las connotaciones históricas y étnicas de vocablos ligados con situaciones económicas que recibían una consideración despectiva por parte de la sociedad, y que muestran la persistencia del espíritu de discriminación en nuestro lenguaje.

2. La mirada de la envidia

> *Hay una cosa en el mundo que es la mirada.*
>
> Federico García Lorca

Pasión que desencadena, en la tradición del Génesis, el primer crimen en el mundo, el de Caín y Abel; vicio capital detestable en la tradición cristiana; energía negativa que se sitúa entre la justicia y la venganza y fundamenta, según Freud, el sentimiento de inferioridad de la mujer frente al varón, los celos del hermano mayor con respecto al menor, y el espíritu de cuerpo con respecto al individuo, atento a que nadie sobresalga sobre el camarada: aquí tenemos a la envidia, una pasión maligna que en su alquimia perversa extrae alegría del fracaso del prójimo y tristeza de sus goces. La alcurnia de esta horrible pasión es innegable y a ella han dedicado sus reflexiones algunos de los más interesantes pensadores del alma.

Así, Melanie Klein relaciona los celos y la envidia con la voracidad; Unamuno, en el prólogo de *Abel Sánchez*, dice que mientras la hipocresía es el pecado inglés y la avaricia el francés, la envidia es el pecado español. Vigil Rubio señala lo perverso de un afecto que nos produce alegría por el daño del prójimo y tristeza por el bien ajeno, y que suele albergarse en el pecho de los que son más amigos: más que deseo del bien ajeno, se trata del odio a la persona que posee o disfruta de este bien. En la misma línea de desengañada ética, La Rochefoucauld dirá que los males que causamos no provocan tanta persecución y odio como nuestras buenas cualidades. Borges discute eficazmente la dudosa ética del adjetivo encomiástico *envidiable*, que se encuentra sólo en español, y revela su mezquindad. "Vale más tener envidiosos que inspirar piedad": hay quienes se mueven con el solo deseo de inspirar envidia; se trata de la envidia pasiva, que encubre propósito y voluntad de poder. Santo Tomás decía horriblemente que los bienaventurados verán los castigos de los condenados –y serán vistos por ellos– para aumentar su bienaventuranza.

No siempre, con todo, la envidia despierta una censura total: Dante, por ejemplo, envía la envidia al Purgatorio, no al Infierno, y Nietzsche argumenta que el resentimiento propio de la envidia puede ser generador de valores. Profundo como de costumbre, Spinoza señala que la envidia se ancla en un profundo odio a sí mismo, por el reproche íntimo que se dirige el envidioso por carecer del mérito, la riqueza o el bien poseído por la persona envidiada. La extraña expresión "sana envidia" disfraza muchas veces la ley de competencia del mercado, que intenta desalojar al rival tratando de confiscar sus éxitos y ventajas.

Es también la envidia una terrible antípoda de la compasión, porque en vez de entristecerse con el pesar o el fracaso ajeno, se deleita en ellos. Sólo el alemán –que yo sepa– ha tenido el coraje o la lucidez de dar nombre inequívoco a esta perversa propensión, denominándola *Schadenfreude*: literalmente, alegría por el daño ajeno.

¿Qué nos dice el lenguaje sobre la envidia? En primer lugar, una notoria ausencia: los diccionarios que presentan raíces indoeuropeas no muestran ninguna que signifique envidia –mientras, como ya lo hemos visto, la cólera, el orgullo, la pasión desenfrenada están ampliamente presentes–. En las lenguas que hablamos, la envidia se relaciona etimológicamente con el sentido de la vista, ya que *in-vidia* (de *video*, *vedere*, en latín, de donde desciende nuestro *ver*) significa la mirada penetrante y agresiva de un ojo que, movido por alguna forma de animosidad, antipatía, odio o rivalidad, se hinca enconadamente en el de su enemigo para perforarlo y destruirlo. La combinación de la preposición *in* complementada con acusativo en latín resulta ambivalente, ya que puede introducir un objeto de un sentimiento, generalmente hostil; aunque también puede ser *a favor de*, *en honor de*. Otro sentido, el básico, es el de penetración. En el caso de *envidia*, el prefijo inicial *in-* expresaría, en primer término, sentido contrario, negativo, de ataque u oposición; pero también puede encerrar un secreto homenaje: en el fondo, la envidia es la mensajera nocturna de la admiración.

Una digresión relevante

Muchas son las asociaciones que despierta el nombre de la envidia desde su hábitat ocular. Pero, como nota preliminar, es necesario percibir que, en general, junto con la boca y las manos, los ojos son paraje privilegiado para la expresión de los afectos, desde los más positivos hasta los más destructivos, y es interesante observar cómo el lenguaje va señalando los distintos poderes de la mirada al expresar con sutileza la gama total de sus posibilidades en la expresión del espectro afectivo. Es decir, no sólo con la envidia, a la que volveremos, se relacionan los ojos, sino con otras emociones positivas, que para lograr una mayor magnanimidad y equilibrio en nuestra perspectiva etimológica con respecto al sentido de la vista, nos conviene también examinar.

El verbo *video* latino procede de una raíz indoeuropea **weid*, con numerosa descendencia en todas las lenguas indoeuropeas, que desemboca por ejemplo en el germánico *witan*: cuidar, guardar, reprochar; y en el fráncico, asimismo, *witan*: cuidar, mostrar el camino, guiar. En armenio el verbo relacionado significa hallar. La genealogía de los sentidos –cuando hablamos de etimología conviene discernir la evolución de los significados– va del ver para guiar, cuidar, al ver-saber de los visionarios.

Wise es una derivación inglesa de la misma raíz. Es notable advertir cómo surge por primera vez el término, hace seis mil años, entre pueblos de pastores nómades, para los cuales esta función de observar y de ver para guiar, vigilar, cuidar, proteger, era algo fundamental en sus vidas.

El latín *video* significaba ver, ir a ver, y *viso* es mirar atentamente, venir a ver, visitar; *visito* es un derivado frecuentativo de *viso* y significa frecuentar, ver a menudo. Otros significados de *video* son encontrar, comprender, examinar, mirar por, cuidar –como se expresa en la actualidad en términos como *veedor*–. Los sentidos pasivos del verbo –*mihi videtur*: me parece– proveen de expresiones que significan creer, imaginar, del mismo modo que hoy decimos "se ve que..." para indicar la probable causa de un hecho. *Avisar*, que en español significa advertir, proviene del francés *aviser*; *m'est à vis* (opino) deriva de la frase latina *mihi visum est* (me parece), descendiente a su vez de *videri*, forma pasiva de *video*. Aquí reaparece el sentido de vigilar, ver un peligro, aconsejar a los que están encomendados a uno.

De la misma raíz **weid* deriva el verbo griego *eido*: ver, y el sustantivo *eidos*: forma, imagen y también idea, ya que la idea se nos presenta primero como apariencia; asimismo se derivan de esta raíz los *ídolos*, que son efigies expuestas a nuestra veneración. En sánscrito, asociado con la misma raíz, tenemos *vedah*: conocimiento, y de allí *Veda*, que será el nombre de cada uno de los libros sagrados, que se consideran sapienciales. Enseguida percibimos la importancia capital de esta raíz de significado visual para el mundo del intelecto y el de los afectos, e incluso para la vinculación con lo sagrado, que implica a ambos.

Pero no sólo el intelecto y el conocimiento se encuentran implicados en la acción de los ojos. El ver, y ante todo, el poder percibir rápidamente, son actividades necesarias a la especie para poder protegerse y asegurar su supervivencia. Como lo hemos visto, lejos de ser sólo una actividad contemplativa o estética, el ver significa ante todo, en su origen, inspeccionar el peligro de los alrededores, y al mismo tiempo, guardar y preservar lo que se nos encomienda, ya sean animales, objetos o personas. El hecho está patente en otra raíz indoeuropea, *wer*, que significa a la vez *percibir* y *guardarse de*.

Por esta razón, de *wer* desciende también el germánico *wardon* (relacionado con garantía y garaje) y nuestro *guardar*, relacionado con el francés *garder*, guardar, y *re-garder*, mirar, que significaría, en principio, guardar por partida doble. En italiano tenemos *guardare*. El guardar que se relaciona con el ver parece indicar, semánticamente, un doble vínculo: en primer lugar, miramos a nuestro alrededor para proteger y guiar a los que están bajo nuestro cuidado, y estar alerta o ponernos "en guardia" –con respecto a un posible peligro–. En segundo lugar, "guardamos" en nuestra retina y en nuestra memoria la imagen que apresan nuestros ojos.

Notemos que el mismo procedimiento semántico que relaciona la cautela y la mirada es suficientemente natural como para ser independiente de determinadas raíces fónicas: en inglés, *watch* quiere decir ver y vigilar al mismo tiempo, *watch out* significa: ¡cuidado! El diccionario de raíces indoeuropeas de Buck subraya la misma coincidencia. Por ejemplo, el griego *horao* (ver, mirar) se relaciona con una palabra usada por Homero, *ouros*, que significa el guarda o el vigía, aquel que custodiaba las puertas.

Pero **wer* desemboca también en el latín *vereor*: respetar, de donde desciende *verecundia* (pudor, respeto), que deriva, a su vez, en nuestra *vergüenza*. "Las vergüenzas", las *pudenda*, se cubren porque se respetan, y por lo tanto no pueden exponerse a cualquier mirada. *Verecunde*, el adverbio, significa con prudencia, discretamente. La relación implícita es que lo importante, lo vital –como lo son las zonas erógenas– se guarda, se cuida, y en ciertos casos se esconde. **Wer* significa también cubrir. Cuando se des-cubre algo que debería permanecer guardado, aparece la vergüenza. Es decir, la palabra que designaba lo íntimo y precioso en nosotros mismos pasó a significar la mezcla de indignación y congoja que se experimenta ante una exposición innecesaria o violenta de nuestra privacidad. Notemos que re*ver*encia y *ver*güenza se desprenden de la misma raíz **wer*.

La vista implica mayor distancia que el tacto, y esta distancia parece inducir la idea de la reverencia y la veneración. Una derivación semejante en su sentido metafórico, porque despliega la noción de respeto, alcanza **spec*, raíz del verbo latino *specio*, ver, observar, que conlleva múltiples derivaciones (*espectáculo, espejo, espectro, especulación*, etc.). *Ad-spicium* en latín (aspecto) quiere decir a la vez acción de mirar y apariencia. *Sospechar* (*sub-spicio*) es mirar por debajo, desde abajo. El inglés *despise* (despreciar) y el *despecho* provienen de la misma raíz, surtida ahora de un prefijo negativo. El que desprecia aparta la mirada; el desengaño se acompaña de la sensación de habernos vuelto invisibles para aquellos a quienes amábamos o estimábamos. Como contraparte a la *verecundia* que provenía de **wer*, encontramos, originado en **spec*, *respetar* (*re-spicio*), que es mirar repetidamente un objeto o una persona, tomar en consideración. La vista –mucho más que el oído, el tacto, el olfato o el gusto– garantiza el espacio del reconocimiento y la estima. La vergüenza cubre, la reverencia se inclina, el respeto crea una cierta distancia.

La *expectativa* es la actitud de mirar o esperar desde adentro hacia afuera –es decir, más allá del presente–. Y no es un azar, ciertamente, que *aguardar*, derivada del mismo **wer* ya mencionado, que da en francés *regarder*, en italiano *guardare* y en español *guardar*, haya expresado originalmente la actitud del que percibe algo peligroso, o acecha una presa; luego adquiere el sentido de detenerse en espera. ¿Acaso la vista –la única facultad que nos relaciona con la distancia– sea el único sentido capaz de relacionarse y relacionarnos con el futuro, distante del presente?

El inglés *see* (ver), relacionado con el germánico *sehen*, holandés *zien* y sueco y danés *se*, se relacionan con un antecesor **sekhwan*, a su vez descendiente del indoeuropeo **seq*, que produjo el latín *sequi* (seguir, que aparece en el inglés *sequence, sue*) y denotará "seguir con los ojos", una actividad de vital importancia para quienes se desplazan siguiendo a un guía.

Hay también una cierta apropiación de aquello que se ve: el *behold* inglés (un compuesto de *hold*, mantener) significa mantener con intensidad la visión de un cierto objeto, contemplarlo sin desmayo. Inversamente, *for-get* (olvidarse) es dejar de ver o poseer algo, es decir, perderlo. Aquí hay un proceso semejante al expresado por el *capio* latino, que tiene que ver con capturar, asir. La vista, que en su origen tiene una orientación decididamente pragmática, parece haber ido evolucionando como el sentido más intelectual, aunque también puede ser un sentido posesivo y depredador: de *capio* procederá en español *concepto* y *capisco* en italiano, pero también nuestro *captar* o *capturar*.

También la vista es el sentido más voluntario, ya que es más difícil taparse los oídos y/o la nariz que cerrar los párpados. Pero es interesante notar que la vista, clásicamente muy privilegiada en el proceso del erotismo, como lo demuestran los fenómenos del exhibicionismo y del voyeurismo, está excluida de la esfera de irradiaciones de la poderosa raíz *sent*. En efecto, aunque se diga que la vista es uno de los cinco sentidos, *sentimos* olores, rugosidades, sonidos, gustos, pero no imágenes visuales. Acaso el lenguaje privilegia para lo sensorial ante todo las fuentes de experiencia infantil, esfera en que el tacto, el olfato, el gusto y el oído parecen prioritarios con respecto a la vista en la estructuración del primer mundo perceptivo y afectivo del bebé. Tengamos en cuenta, con todo, que para que la vista llegue a emerger como prototipo y raíz de las actividades intelectuales, se requiere un tiempo considerable. Originalmente, como todos los sentidos, la vista estaba destinada a relacionarnos prácticamente con el medio: es el sentido de los guías de rebaño, de los guardianes, de los jefes de los grupos nómades que se internaban en lo desconocido. Pero ciertamente, y desde el principio, es el único sentido que nos conecta con las estrellas: si el tacto, el olfato y el gusto nos relacionan con lo inmediato y el oído con lo cercano, la vista nos remite al infinito.

Mientras *ver*, según el Drae, significa percibir por los ojos, *mirar* es aplicar la vista cuando algo llama la atención, asombra o parece extraño. De hecho, el latín *mirari* significa admirar, asombrase, extrañar. Por eso encontramos *milagro* –que deriva de *miraculo*– y *maravilla* (*meraviglia* en italiano y *merveille* en francés) procedente de la misma palabra latina *mirabilia*, conjunto de cosas que son admirables, no comunes, sobrenaturales. *Mirari* fue perdiendo paulatinamente estos sentidos en el castellano *mirar*, que significó en un momento dado *contemplar*, para adquirir luego la acepción que le es propia actualmente.

Interesante es la comparación con *ad-mirar*. Recordemos que la admiración es considerada como raíz de la sabiduría y del amor en Sócrates, maestro de Occidente en este sentido. Como hemos visto, el español redujo el primitivo significado de asombrarse que tenía el *mirari* latino, dándole el sentido más estricto y modesto de clavar los ojos atentamente, con intensidad, en algo o en alguien. El admirar español, en cambio, rodea con la mirada el objeto de aprecio, para disfrutar de todas sus cualidades, y se traduce como *wonder* en inglés, que no sólo es maravilla, sino también cavilación. Acaso el español, que Unamuno juzga tan inclinado a la envidia, es también, relativamente, más propenso a la admiración, si se lo compara con la reserva del francés, que mira guardando, y la sequedad del inglés, con su clínico *look*, que parece destinado a insertar insectos antes que a avistar un paisaje humano.

Esta ronda por los significados que se desprenden etimológicamente de todo aquello que los ojos pueden atestiguar nos muestra que a partir de la mirada se dan las más distintas vertientes: el ver simplemente para percibir, el ver que es conocer en primer lugar, y puede llegar a ser también veneración; y el ver para vigilar, guardar, proteger, cuidar, teniendo en cuenta que en principio se cuida y se guarda lo importante, lo que se cubre, se venera y se respeta. Comprobamos que, contrariamente al olfato o al oído, la vista ha originado desde siempre una especie de lenguaje propio para expresar una gran cantidad de estados cognoscitivos y afectivos: la idolatría, la sabiduría, la vigilancia, la protección, el desprecio, la vergüenza, el respeto, la sospecha, la admiración, la posesión, el despecho, el pudor, la pregunta, el maravillamiento, la espera: ¿cuántos sentimientos, pasiones, actitudes y estados de ánimo pueden expresar los ojos, cuántas palabras y cuántos matices tiene este diccionario de la vista?

Por algo se llama a los ojos espejos o ventanas del alma, ya que, a pesar de su aparente vacío (*oculus*, de donde deriva *ojo*, quiere decir *pequeño hueco*), son los órganos que más inmediatamente, y sin velos, manifiestan lo que sentimos. No hay expresiones similares para otros sentidos como el oído, o el olfato, que son sensitivos pero no expresivos. Un paralelo habría con el lenguaje: la vista habría tenido desde siempre una especie de lenguaje propio para expresar una gran cantidad de estados emotivos. Así, el Diccionario de Autoridades define al ojo como el "órgano por el cual el animal recibe las especies de la vida y por donde explica sus afectos". Mientras el olfato, el gusto y el oído son simplemente receptivos, el tacto y la vista son sentidos recíprocos: no se puede tocar sin con-tacto, y aun cuando se puede ver sin ser visto, el ojo que refleja un objeto proyecta y revela un sujeto al mismo tiempo. Pero el tacto requiere inmediatez, y el ojo, en cambio, vulnerable y audaz al mismo tiempo, navega en el espacio físico y emocional, conociendo y dándonos a conocer al mismo tiempo. Recordemos "la niña de los ojos", que significa al mismo tiempo el *ser preferido* y la *pupila* (pequeña muñeca, como los reflejos que apresan los ojos).

En síntesis, a la admirable plasticidad de la vista como registradora y emisora de tantos mensajes afectivos y cognoscitivos, responde el lenguaje con un bosque de imágenes que naturalmente se enlazan con toda esta rica diversidad. Hay, ciertamente, un lenguaje múltiple de la mirada que se corresponde a la mirada caleidoscópica del lenguaje: espejos ambos de la misma realidad. Por eso, se comprenderá, no hemos querido reducir a la verdosa y desdichada envidia nuestra disquisición sobre la relación de la mirada y las pasiones.

Pero luego de esta digresión por los profusos caminos del simbolismo del ver y del mirar, regresemos a la envidia. La envidia, que tiene que ver con la mirada enemiga, confrontacional, directa y punzante, se contrapone a la admiración, la mirada que cuidadosa y amorosamente rodea lo admirado. Ambas, admiración y envidia –hermana luminosa y hermana oscura– dependen de los ojos. En latín, *in-video* es mirar con malos ojos, aojar; querer mal, envidiar, privar (de algo, por envidia). *Invidia* significa en latín antipatía, odio, mala voluntad; ser odioso a uno; envidia, rivalidad, celos. *Invidiosus* es envidioso, celoso –pero también envidiable, odiado, aborrecido, odioso–. *Invidus* puede significar también desfavorable, contrario, enemigo.

Los españoles no se quedan atrás en la definición de la envidia, que es descripta por el Diccionario de la Real Academia como tristeza o pesar del bien ajeno, emulación, deseo de algo que no se posee. La expresión popular "comerse uno de envidia" recuerda la voracidad que asignan los psicoanalistas –en particular, Melanie Klein– a este sentimiento. Según la hermosa definición de Covarrubias, es el dolor concebido en el pecho, del bien y prosperidad ajena "porque el embidioso clava unos ojos tristazos y encapotados a quien tiene embidia y le miran como dizen de mal ojo". Quevedo señala que la envidia está flaca porque muerde y no come. En efecto, la envidia roe al envidiado y corroe al envidioso; por eso decimos: "consumido o carcomido por la envidia".

La envidia se relaciona con otras pasiones, y así los nombres de la codicia se enlazan con los de la lascivia y de la envidia en el saber de las lenguas. Es interesante, por ejemplo, la línea que une la envidia al deseo, como ocurre en el francés, en el que *envie* significa –tempranamente, según Bloch y Wartburg– ganas y envidia. En inglés, también, *envy*, aparte del sentido de envidia, codicia y emulación, se define como *wish* y *longing* (deseo). Según Ayto, el sentido subyacente es, simplemente, mirar algo con atención; lo implicado es: con malicia o resentimiento. Esta perturbadora proximidad entre el deseo y la envidia parecería indicar que en cierta visión del lenguaje, el deseo se atiza (¿o se origina?) en la experiencia de un bien que no es tanto un bien en sí mismo, sino en tanto poseído por otro.

El alemán, gráficamente, define a la envidia como *Scheelsucht* (un compuesto en el que *scheel* significa bizco, y *Sucht*: afán, pasión). Es decir, envidiar es mirar afanosamente, pero con ojos bizcos. En hebreo, una expresión para envidia es "ojo estrecho" (*tsarut hayin*), con sentido de ojo enemigo.

Podemos imaginar que la base común que desde el mirar lleva al sentido de envidia, celo y deseo, sería mirar intensamente algo que se desea poseer, o bien mirar intensamente, con odio y animadversión, a alguien que tiene algo que uno mismo desea y no tiene. Un tercer sentido más fuerte, y más negativo, sería el desear que el otro no tenga algo que uno mismo no puede tener. En el despliegue negativo de la mirada envidiosa o vengativa encontramos el verbo *aojar*, definido por el Diccionario de la Real Academia como: hacer mal de ojo. Figurativamente, desgraciar o malograr una cosa. Antiguamente significaba tan sólo mirar, dirigir la vista. En cuanto a *ojear*, la primera acepción es "dirigir los ojos y mirar con atención a determinada parte", y la segunda, "hacer mal de ojo, aojar". Aquí la vista aparece como ejecutora, capaz de actuar a distancia, del mismo modo que ocurre con la palabra, a la que en tantos casos se le adjudica eficacia extraordinaria por su sola emisión, comenzando con el verbo creador en el Génesis, hasta los encantamientos, juramentos y las maldiciones mágicas. Es interesante notar la dicotomía entre el ojo malo y la mano santa; al parecer, lingüísticamente al menos, no hay mirada sanadora. La experiencia de lo antiguo, lo feroz, lo atroz, se relaciona con una vivencia óptica, ya que en todas estas palabras entra como compuesto, etimológicamente, el ojo (en indoeuropeo *okw*) y así –teniendo en cuenta en el primer caso que la *o* inicial ha caído– obtenemos *antiquus* < *ante-kw*: aquello que está antes de lo que se ve ahora; *atrox* < *ater-kw*: de aspecto negro, y *ferox* < *ferus-kw*: de aspecto fiero. Mientras el envidioso quiere tener algo que no posee, el celoso no quiere que le quiten algo que cree poseer; con esta distinción pasamos al dominio de los celos.

El impacto social que conlleva la envidia condujo a Freud a decir, en su *Psicología de las masas*, que manifestaciones como el compañerismo, el espíritu de cuerpo, etc., se derivan también incontestablemente de la envidia primitiva –es decir, glosamos nosotros, serían en cierto modo sus nombres disfrazados, o bien los antídotos con respecto a sus posibles síntomas–. Nadie debe querer sobresalir; todos deben ser y obtener lo mismo. La justicia social significa que nos rehusamos a nosotros mismos muchas cosas para que también los demás tengan que renunciar a ellas, o, lo que es lo mismo, no puedan reclamarlas. En el mundo contemporáneo la envidia ("sana envidia") se esconde a veces eufemísticamente bajo el nombre de competitividad. En efecto, la competencia, ley fundamental del mercado, tiende a desplazar al otro, tratando de que fracase o desaparezca: a pesar de su aspecto aparentemente frío y desapasionado, la emulación conlleva un odio semejante al que implica la envidia.

3. Celos

Los celos son una pasión, pues se busca con afán
lo que produce sufrimiento.

Schleiermacher

En cuanto a los celos, el origen indoeuropeo de esta palabra es incierto. Al parecer, se trata sólo de una de las muchas derivaciones de algunas raíces indoeuropeas tales como *kel*, uno de cuyos sentidos es el de cubrir, proteger, mantener secreto, ocultar –de donde deriva el latín *celare*; *cella* es capilla, granero y también celda (*célula* se genera como un diminutivo de este nombre)–. También en griego encontramos, descendiente de esta raíz, *eu-calipto* (lo bien escondido, en referencia a las semillas ocultas en la vaina de este árbol). *Calipso* es la ninfa que acoge y esconde a Ulises en su cueva. *Kel* significa también calor, fuego, hervor, y a través de diversos sufijos, se encuentra en derivados como *cálido* y *calor*; cabe advertir que la noción de abrigo y la de protección están naturalmente asociadas. Otro sentido de *kel* es el de poner en movimiento, acelerar. *Celer*, en latín, como adjetivo, significa ligero, rápido, veloz, vivo, activo. Acaso el celo de los animales entrando en calor se asocie con la rapidez de la carrera de los machos rivalizando en pos de las hembras.

Podríamos arriesgar la hipótesis de que el origen de este conjunto de sentidos sería en el indoeuropeo: asociación de desplazamiento veloz y actividad intensa. "Poner en rápido movimiento" en el contexto de la vida nómade y la marcha del grupo, estaría, una vez más (como en el caso de *weid*: guiar, ver, guardar), asociado con proteger o con cubrir, ya que muchas veces el rápido caminar o la carrera del grupo significaban verdaderas huidas ante enemigos más poderosos.

En latín tardío *zelo* significa amar, adorar, envidiar, celar, y *zelus* es celo, emulación, envidia. *Celare* es mantener secreto, ocultar, cubrir, mantener en la ignorancia, ocultar una cosa a alguien. En griego *zeo* es hervir y *zelos* significa ebullición, ardor. Con una distinción vocálica (*e* larga en vez de breve), la palabra significa rivalidad, emulación, envidia, celos, exuberancia de estilo. *Zeloo* es buscar con ardor, igualar, tratar de imitar, alabar, aprobar, envidiar, tener celos. Interesante es aquí la concomitancia de alabanza y envidia, que acaso convenga como descripción de la compleja actitud de muchos aduladores.

El célebre dicho latino "Deus *zelote* tu es" expresa la ansiedad de Yahvé con respecto a las eventuales infidelidades de su pueblo: "No se vayan los hebreos con otros dioses". Recordemos que una imagen de Dios en los profetas es la del novio y esposo de Israel: sus sentimientos, sus celos y su enojo cuando Israel se va con otros dioses, son los del novio o esposo traicionado.

El celoso es a la vez fiel y paranoico. En inglés, *zealous* quiere decir ferviente, fervorosamente atado al cumplimiento del deber. El funcionario exageradamente diligente y el marido excesivamente suspicaz son ambos representantes del mundo de lo obsesivo. *Celo* significa ahínco, deseo. Las *celosías* (persianas que ocultan a las mujeres) vienen de los celos; significan el encierro, tras la ventana enrejada, del objeto de los celos. Aquí aflora el sentido de lo oculto y lo escondido del latín *celare*, que acaso responda lejanamente al primigenio sentido de cubrir y proteger que ya comentamos en la raíz primitiva.

El sentido de *celo* (latín *zelus*) como pasión aparece en el Diccionario de la Real Academia Española como uno entre varios, y no el primero. Así encontramos como distintas acepciones: "cuidado, diligencia, esmero que alguien pone al hacer algo; interés extremado y activo que alguien siente por una causa o persona; recelo que alguien siente de que cualquier afecto o bien que disfrute o pretenda, llegue a ser alcanzado por otro; apetito de la generación en los irracionales; época en que los animales sienten este apetito; usado en plural: sospecha, inquietud y recelo de que la persona amada haya mudado o mude su cariño, poniéndolo en otra". A su vez, *recelar* significa temer, desconfiar y sospechar.

Como en el entramado sutil de las celosías, los significados de esta palabra se trenzan y se multiplican. El que cela se oculta, sospecha, persigue velozmente, está devorado por el ardor hacia el objeto de su amor o de su ambición y rivaliza con quienes compiten con él para obtenerlo. Mientras el envidioso desea algo que no posee, el celoso teme ser despojado de aquello que cree poseer. El celoso, como ya se ha dicho, es un típico obsesivo, y no sólo se esmera en sus persecuciones sino también en el cumplimiento de sus tareas. De allí la diligencia de los funcionarios *celosos* de su deber y de los *celadores* que tratan de sujetar la rebeldía de los estudiantes a su cargo.

Es interesante observar que los celos merecen más atención en la tragedia y el drama que la envidia: no hay arquetipos teatrales del mismo peso que Otelo para representar la envidia. Menos mezquino que el envidioso, el celoso despliega una mayor fantasía con respecto al objeto de su pasión, y por su misma insistencia paranoica, suele acarrear involuntariamente la pérdida del objeto de su deseo. Si el envidioso rechaza, el celoso ofende, harta y exaspera. Y la metáfora, que sabe trazar estas distinciones, otorga el frío del verde a la envidia, y el ardor de Otelo, junto con el rojo de la sangre de Desdémona, a los celosos.

4. Tristeza

A pesar de la prosapia sentimental y literaria de la tristeza, pasión romántica por antonomasia, los diccionarios etimológicos latinos y españoles eluden su origen etimológico. En la ausencia de una raíz específica que pueda asignársele, ofreceremos sin embargo algunas sugerencias con respecto a una serie de asociaciones sonoras y semánticas que podría enlazar a la tristeza con una familia de palabras bien caracterizada: la definida por la presencia de la raíz *ter, de donde proviene *tremo* en latín, que significa frotar, girar y asimismo temblar. Se asocia esta raíz con ruidos, o sonidos fuertes, como el del trueno. El *tr-* onomatopéyico se extiende además para designar el temblor, es decir, el sonido que se emite con los dientes al *temblar*, *tiritar*, término en que están presentes la *T* y la *R* y que Corominas define como "onomatopeya del temblequeo". Y al temblor se asocia acústicamente toda una serie de palabras que tienen que ver con aquello que hace temblar: temor, terror, terrible. El temblor detecta lo tremendo, es decir, la experiencia de estar temblando por temor se proyecta al objeto que lo causa: trueno, tormenta o tormento. *Tremendo, tremebundo, trémulo* y *trémolo* son derivaciones transparentes. *Intrépido* es el que no trepida o no tiembla. En holandés, *trillen* es temblar, y *trommel*, tambor (*drum* en inglés): palabras todas en que se dan los mismos efectos onomatopéyicos que aparecen también en *train, tremble, traffic*. En francés encontramos *trembler, tonnerre*, y el español ofrece obvias equivalencias: *tráfico, tren, trueno, trino, trepidación*.

Otra raíz homónima **ter*, que probablemente guarda relación con la anterior, significa atravesar, perforar. Acústicamente expresiva, esta raíz es con frecuencia utilizada onomatopéyicamente, también, para evocar una gran variedad de ruidos producidos por instrumentos como el torno, o bien aquellos que se escuchan durante tareas como taladrar, trillar, perforar o moler el grano. El griego *trapein* significa pisar la uva hasta deshacerla. Los instrumentos vibratorios, como el torno –del griego *tornos*, instrumento usado para trazar círculos–, entran en este dominio. La trepanación es descendiente legítima de **ter*. En inglés *trepan* significa instrumento de carpintería y, además, enojo. Es decir, las raíces imitan por una parte los sonidos naturales de la tromba y el trueno, y por otra aquellos ruidos de instrumentos que inducen una sensación de vibración y temblor.

Así, según el Diccionario de la Real Academia Española, *trillar* viene del latín *tribulare*, que significa quebrantar la mies tendida en la era, y separar el grano de la paja. Pero atención: *tribulare* es trillar y asimismo oprimir, afligir. Así se derivan, semántica y fonéticamente, *tribulación* y *atribulado*. Recordemos que la trilla se hace golpeando, apaleando las espigas para desgranarlas, o bien pisoteándolas o utilizando bueyes para pisotearlas (*trio* es el buey que trilla; *septentrión* significa siete bueyes). El trigo, *triticus*, que simbólicamente significa la paz y el pan, en sus orígenes etimológicos representa lo pisoteado y triturado: hay aquí algo así como una extraña y escalofriante sabiduría. *Trillo* es la senda formada por el tránsito frecuente, es decir, por el pisoteo. Asimismo, aun cuando *trilla* significa acción y efecto de trillar, figurativamente, en Chile y Puerto Rico, quiere decir zurra, felpa, pateadura.

Onomatopéyicamente, encontramos aquí el sonido que se escucha al desgranarse las espigas. Figuradamente, sin embargo, la operación de trillar significa dejar a alguien maltrecho. En inglés encontramos formaciones equivalentes con la misma inicial *tr-*: *tramp* es pisar fuertemente –también significa prostituta–. *Trample* es aplastar, destruir, dañar, violar; significa además el copular de los pájaros. *Trizar* y *triturar* pertenecen a la misma rama etimológica, y también *detrimento*: pérdida, perjuicio –propiamente, la acción de quitar mediante el roce–. Lo mismo ocurre con *atrición* y *contrición* (arrepentimiento). *Contrito* significa en realidad aquel que empatiza con lo trillado y triturado. Es indudable el clima destructivo y negativo que parece emanar de esta raíz.

La productividad de *tr-* se extiende más allá del latín: en griego *tribo* es frotar, triturar (que significa también molestar gravemente), debilitar, extenuar, arrastrar penosamente, diferir, aguardar. *Trauma*, que deriva precisamente del griego, significa una lastimadura o herida que se ha producido violentamente, así como la neurosis que de ella se deriva. Psiquiátricamente, es una experiencia emocional de efectos psíquicos prolongados.

El significado de *tristis* en latín no sólo es triste sino también serio, austero, malhumorado, colérico, así como siniestro, amenazador, horrible, funesto, fúnebre. Se dice asimismo de un sabor amargo. Se le relaciona *tétrico*, que el Drae define como demasiadamente serio, grave y melancólico. En alto alemán, triste es *traurig*. *Trüben* es enturbiar, turbar; *trüb(e)*, turbio, borroso, apagado, sombrío, lúgubre, tétrico, melancólico, triste. En holandés el llanto se representa como *tranen*. *Betreuren* es lamentar, entrar en duelo. Aunque los diccionarios no postulan una raíz común para estas palabras, las coincidencias fónicas no parecen ser casuales, ya que un mismo grupo consonántico inicial se exhibe encerrando sentidos semejantes, reales o metafóricos.

Recordemos que entre nosotros es una metáfora común llamar *aplastada* a una persona triste. No es impensable imaginar que la tristeza, como neologismo léxico, tuviera originariamente mucho más que ver con la humillación que con la melancolía, contrariamente al matiz que solemos asignarle contemporáneamente. De algún modo, es como si se hubiera tratado de reprimir la noción de que la tristeza puede ser el recuerdo de una afrenta vejatoria o la reacción ante una agresión desmesurada e inmerecida. Podríamos decir que el término se ha despolitizado románticamente con el tiempo, o bien que se han velado con hipocresía sus probables orígenes. El psicoanálisis reconoce, sin embargo, que detrás de la depresión de los tristes (y la depresión es una forma metafórica del aplastamiento) se puede encerrar una venganza postergada o una ira mal contenida, así como detrás de los estallidos maníaco-agresivos puede ocultarse también un duelo ignorado o mal llevado a término.

Cuando hablamos de trenes, trenos y truenos, se nos presenta una imagen que imita lo que percibimos como sacudimiento irrefrenable en nuestro cuerpo y que lo relaciona en particular con lo percibido por los oídos. Se trata de un temblor físico y acústico al mismo tiempo, y a la vez nuestra propia lengua vibra y tiembla en el *trrr* del terror: esto es la onomatopeya. Lo que vibra, suena, mueve y nos remueve involuntariamente nos amenaza, intimida y paraliza, y por consiguiente, nos atemoriza, nos acorrala, nos muele, demuele y entristece. En griego *treo* es temblar o ser cobarde.

Probablemente, en la raíz *ter-* y su variante *tr-* encontremos uno de los tantos radicales en diátesis, es decir, que encierran a la vez un significado activo y pasivo, ya que en ellas se presentan a la vez, activamente, lo siniestro, amenazador, horrible, aquello que *tri*tura, a*ter*ra (trueno), oprime, pero también, pasivamente, lo triturado, aterrado y oprimido, debilitado, ajado, en una palabra lo *triste*, que significa asimismo malhumorado, severo, austero, sombrío, expuesto a la dificultad. Palabras como *tromba, trapos, trozos, tropiezos*, también están, probablemente, relacionadas con estos sentidos: la tromba destruye y destroza, dejando trozos y trapos como restos de su catástrofe. Aun cuando no hay parentesco etimológico nítido, la coincidencia en el sentido de estas aliteraciones parece responder a una necesidad expresiva que encuentra un cauce común indudable.

Algo semejante –con respecto a la diátesis– se da en la raíz indoeuropea *mer-mor* (de donde *morbo*), que significa a la vez causar daño, borrar, morder, pero también morir; *mers* es incomodar, perturbar. *Meror* en latín es estar triste, afligirse o lamentar, profiriendo lamentos, con tristeza profunda. En español antiguo encontramos *marrido*, relacionado con estas raíces, y que significa apenado.

Acaso pudiéramos extrapolar algo audazmente y plantear que para la mente indoeuropea no hay tristeza o muerte que no provenga de una fuente de agresión; es decir, no hay tristeza o muerte espontánea, no existen lastimaduras o mortificaciones naturales o inocentes, sino siempre agentes activos y receptores pasivos en estas materias, un enfrentamiento de trituradores y triturados, torturadores y torturados, mordientes y mordidos o muertos –aun cuando agente y receptor puedan convivir en el mismo sujeto–.

Como de costumbre, nos encontramos ante conceptos que designan emociones pero que provienen originariamente de sensaciones físicas, de las cuales son una metáfora directa. Claramente, parece haber una onomatopeya originaria en la secuencia consonántica *tr-*, que nos recuerda el trueno y la trepidación del torno. O bien evoca la trituración del *trigo*, que proviene de *tritus*, lo molido. (Y no olvidemos la tristeza de los tres tigres que comían trigo en un plato de trigo, en el famoso trabalenguas: ahora sabemos de quién se contagiaron la tristeza.)

Resumiendo, podemos plantear la siguiente hipótesis acerca del origen de lo triste y sus posteriores derivaciones. Primero se da la experiencia física del temblor; después, los ruidos que se le asocian, originados en las tareas y en los instrumentos que conllevan vibración, como la trilla y otros trabajos: taladrar, torno, etc. Y luego se daría la extensión a experiencias y hechos psíquicos correlacionados: temor, terror (ambos provenientes de temblor), tribulación, opresión (ambos provenientes de triturar). De allí finalmente pasamos al estado de ánimo "triturado", es decir aplastado, atormentado, en una palabra: triste.

Lo trillado, debilitado y ajado se relaciona con un proceso de desgaste. Hay todo un halo de significaciones negativas que se irradian a partir de *tr-* y sus frecuentes aliteraciones, más allá de la tristeza: lo turbio, lo torpe, lo torvo, lo trémulo, lo turbulento, lo truculento, lo atroz. Sufrimiento, miedo y amenaza se expresan a través del trueno o de la acción de turbar, estorbar o torturar. La productividad de este grupo consonántico, más allá de la comprobación estricta de un entramado etimológico fehaciente entre todas estas nociones, es innegable. De allí nos vienen los torbellinos, los torrentes, los traumas y los trenos. El terror produce una parálisis semejante a la que acompaña a la tristeza: acaso tristeza y terrorismo se vinculan a través del tejido de sus consonantes germinales. En verdad, como dice Vinicius, la tristeza no tiene fin.

4

Las pasiones claras

1. Alegría

La alegría, esencia oculta de los mortales...

Severino

En principio parece curioso considerar a la alegría como una pasión; acaso su exclusión del inventario canónico se deba al hecho de que si bien el amor, la envidia o la codicia pueden conducirnos al crimen, no conocemos asesinatos cometidos por la alegría: tan ligada está la imagen de la pasión, en nuestra cultura culpabilizadora, con la de la fatalidad y la tragedia. La alegría carece del pesado aliento de la envidia, de las tinieblas de la codicia, del descontrol del amor. Spinoza –que hizo de la alegría y la tristeza los ejes centrales de su Ética– decía que la pasión se vuelve alegre cuando es esclarecida por la razón, y entonces deja de ser excesiva. Pero a pesar de su aparente inocencia, la alegría guarda algunos rasgos esenciales de la pasión: nos sobreviene muchas veces involuntariamente, nos expande ("no cabe en sí mismo de gozo"), nos arrastra, nos inunda, nos transforma, nos levanta en un torbellino de luz del que nos cuesta regresar.

Según Savater, pocos filósofos defienden la alegría, aunque entre los que no tuvieron reparos en hacerlo se cuentan algunos de los mejores: Demócrito, Epicuro, Spinoza, Nietzsche. Descartes reconoció a la alegría como pasión plena, y también Aristóteles –aunque éste llegó a decir que el hombre de genio ha de ser melancólico–. Nietzsche vincula a la alegría con la auténtica bondad, y la etimología le da la razón: según el diccionario latino, *beatus* significa feliz, dichoso, rico, floreciente, magnífico, abundante, fecundo, fértil; pero también beato, santo, bondadoso, venerable, digno de canonización. De una misma raíz **deu* (potencia para hacer, dinamismo...), vienen bueno, bello y beato (feliz). (*Bello* es un diminutivo de bueno, *bonulus*, como *bonito* en español es un diminutivo de *bueno*.) La ciencia más profunda, en la opinión de Nietzsche, ha de ser alegre: la Gaya Ciencia.

Para Spinoza, la felicidad no es la consecuencia de la virtud, sino su causa: no somos felices por ser buenos, sino que llegamos a ser virtuosos porque somos felices. En otras palabras, la virtud no se asocia con sacrificios y sufrimientos, sino con la alegría. En su cristalino sistema ético, Spinoza no dudó en entronizar a la alegría como la pasión fundamental, fuente de las otras pasiones activas o positivas, condición de la libertad del hombre, contrapuesta a la tristeza, la pasión oscura, vértice de toda la negatividad. (En este sentido, la alegría de Spinoza confluye en cierto modo con la libido de Freud, definida por él como la energía enlazada con todas aquellas pulsiones vinculadas con el amor.) El esfuerzo ético consiste precisamente en transformar las pasiones tristes y pasivas – como la humildad, la envidia o el temor, que nos pasiviza y paraliza– en pasiones activas y alegres.

Según Spinoza, amar alegra porque es pasar "a un estado de mayor perfección": eso es en sí mismo la alegría; lo que pasa, lo que se vive en ese momento (conscientemente o no), eso es el afecto, la pasión de la alegría. Amamos a quien nos vuelve alegres, a aquel que difunde en nosotros una luminosa energía. "El amor es una energía que expulsa la tristeza", decía con razón Andrea Capellano. Corroboraciones no faltan: uno de los más hermosos poemas de amor de la lírica española contemporánea, de Pedro Salinas, comienza diciendo: "Qué alegría, vivir / sintiéndose vivido...".

Spinoza sostiene que las pasiones no deben ser sublimadas ni sometidas al control de una razón abstracta y represiva, sino simplemente privadas de opacidad; su energía, liberada del lado oscuro y perturbador de la imaginación, se transforma en alegría, en la más alta satisfacción de sí mismo. Acaso no sea un azar el que Spinoza, que era de familia sefaradí portuguesa, naciera en Holanda y hablara holandés, un idioma germánico en que una *vr-* inicial anuda tantos sentidos benéficos: *vriendschap* (amistad), *vreugde* (alegría), *vrijheid* (libertad), *vrede* (paz), con sus equivalentes alemanes *Freundschaft, Freude, Freiheit, Friede. Vrijen* significa tener relaciones sexuales. Algunas de estas palabras descienden de la raíz *priyos*. La alegría, libertad y solidaridad que ofrece la pertenencia al mismo grupo, y que ya hemos comentado cuando nos referimos al amor en onda germánica, se reencuentran aquí[27].

---

[27] Para una exposición detallada, véase en particular *Spinoza: la alegría de lo necesario*, de Enrique Carpintero. También es interesante *La cautela del salvaje: pasiones y política en Spinoza*, de Diego Tatián. Indispensable con respecto al pensamiento general de Spinoza es

Desde el punto de vista etimológico, lo más llamativo de nuestro término *alegría* es su relación con las nociones de agilidad, velocidad y vivacidad que encierra su antecedente, el latín clásico *alacritas* –como ocurre con la raíz indoeuropea **eis*, que designaba la pasión con atributos como vivacidad, fuego, ardor, entusiasmo, y también ímpetu y rapidez–. El español mantiene *alacridad*, que significa júbilo, hilaridad, regocijo, alegría y presteza del ánimo para hacer alguna cosa. *Alacer* significa en latín alegre, pronto, presto, ágil, vivo, ligero, gozoso; *alacer equus* es un caballo fogoso, brioso.

La *alacritas* latina, al parecer, acentuaba una imagen más dinámica que propiamente emocional. Aun cuando la definición de alegría en el diccionario incluye la noción de dinamismo, éste no es el rasgo que sobresale en nuestra percepción actual del término. Acaso tengamos aquí un proceso de "sentimentalización" en el lenguaje: así como de la tristeza se han borrado las huellas del sentido de "experiencia de una humillación", de la alegría se han ido borrando las señales de dinamismo y animación que le eran esenciales en un principio.

Alacritas se relaciona entonces con la actividad, la disposición a la acción, más que con la sensación de

el texto de Deleuze: *En medio de Spinoza*. Como lo explica Deleuze, en Spinoza los afectos o pasiones son formas de devenir: unas veces nos debilitan, en la medida en que disminuyen nuestra potencia de obrar y descomponen nuestras relaciones (tristeza), y otras nos hacen más fuertes, en la medida en que aumentan nuestra potencia y nos hacen entrar en un individuo más amplio y superior (alegría).

gozo, que se asocia ante todo con el placer de los sentidos, y aparece posteriormente en el significado de la palabra. También es verdad que los alegres no son morosos ni se sienten penosamente arrastrados por las circunstancias. Por otra parte, si evocamos el placer que produce la realización o el espectáculo de los deportes que requieren particular rapidez, como la equitación, el *surfing*, el *ski* acrobático, el patinaje sobre hielo, no estamos lejos de comprender la conexión entre velocidad y alegría, que en estos casos se reduplica con la sensación de la eficacia y la precisión unidas a la belleza; lo mismo ocurre cuando presenciamos las fugaces y volátiles figuras de un ballet. Hay una euforia innegable al presenciar cómo ciertos animales –entre los cuales los seres humanos– desafían las leyes del espacio mediante la aceleración. Y una de las claves del gozo que producen las mejores obras del barroco –el frenesí que alcanzan a veces los violines de Vivaldi o de Corelli en sus *Allegros*– es la velocidad de su ritmo furioso.

En el estudio etimológico de Kurath, *Semantic sources of words for emotions*, se señala la estrecha relación que existe entre gestos y actitudes corporales con los afectos, que suelen tomar su nombre a partir de características o actividades físicas. Demuestra Kurath así que en las lenguas indoeuropeas las palabras que denotan "moverse con vivacidad, saltar, etc." son las que proveen el asiento para las denominaciones de los afectos relacionados con la alegría. Del verbo *salto* (saltar) en latín se origina *exulto*, que significaba excitarse, saltar, mostrar petulancia, y que en lenguas romances conserva el sentido de saltar de alegría o transportarse de gozo.

La conexión no es exclusiva del latín: en alto germánico *vro* significa al mismo tiempo alegre y veloz. El *gauw* holandés, que significa rápidamente, está relacionado con el *gaudium* latino que desemboca en nuestro *gozo*. En otros casos, patentes en el sánscrito o en las antiguas lenguas germánicas, la fortaleza, el vigor, la hinchazón, el crecimiento se relacionan con la alegría –y también, es cierto, con la arrogancia–. Por su parte, la expresión de la tristeza se origina en voces relacionadas con el cansancio, la debilidad y la lentitud, como puede verse en las lenguas germánicas y escandinavas, donde la combinación *trg* sirve a menudo para designar estas nociones. En alto alemán, por ejemplo, *trag* significa lento y perezoso.

Por otra parte, el *júbilo* tiene una prosapia curiosa. En realidad, en latín, *iubilo* es un verbo de la lengua rústica, que significa gritar, gritarle a alguien, llamar. Solamente en latín eclesiástico tomó el sentido actual. Aparentemente, *iubilo* proviene de *jubileo*, festividad hebrea que se celebra cada cincuenta años, y la palabra proviene del hebreo *yobel* –cuerno de carnero con que se daba la señal de esa festividad–. No podrían faltar tampoco los aportes árabes: *alborozo* proviene de *buruz*, y significa salir a recibir con gritos de alegría; *albricia* es el regalo que se hace al que trae una buena noticia, y deriva de *bisara*: buena nueva.

Quizá la fuerza, la energía y el coraje transmitidos en el significado del griego *alke* (descendiente del indoeuropeo **alek*, proteger, de donde derivan nombres como Alcibíades o Alejandro) estén relacionados con la *alacritas* latina y la *alegría* española. Pero el español también posee *gozo*, derivado del latín *gaudium*, cuyos descendientes encontramos también expresados como *joie* en francés y *joy* en inglés, aparte de la *gioia* italiana –que significa a la vez alegría y joya–. Existen la *allégresse* francesa y el *allegro* italiano, pero no tienen la misma extensión que nuestra alegría. El italiano *allegro* señala la concomitancia de la alegría con la provocación y la borrachera. Debemos reconocer, sin embargo, que nuestra propia alegría cae a veces bajo censura: el DRAE señala la excesiva licencia de las mujeres de vida alegre, y advierte que se llama jugadores alegres a los que se arriesgan demasiado en el juego, aparte de nombrar alegres a quienes se encuentran peligrosamente proclives al estado de ebriedad.

Nuestro español actual ha rescatado la hermosa expresión "¡joya!" para expresar aprobación o regocijo. *Gaudium* exhibe la misma consonante inicial que gula, golosina o glotonería, lo que acaso indica que se trata de una consonante apta para transmitir el placer de los sentidos. Pero el gozo puede llegar a ser más elevado que la alegría, que en ocasiones es ruidosa, incontrolada o inoportuna, como lo era la *laetitia* latina. (¿No decía Descartes que "las grandes alegrías son generalmente tristes y graves y nada más que las mediocres y pasajeras van acompañadas por la risa"?) En español, el contraste entre *gaudium* y *laetitia* (alegría interior y manifestación de la misma) parece estar dado mediante el que existe entre gozo y alegría. Cicerón dice que *gaudium* es la alegría calma y *laetitia* la turbulenta. El descontrol de la alegría inunda a aquel que empieza a beber demasiado, o a la mujer llamada así por sus desbordes sexuales. Según Moliner, el gozo, sensación física o espiritual, se distingue del goce, actividad de gozar, que remite más directamente a los placeres sensuales, en particular el sexual.

La expresión de la alegría difunde significados positivos en general, pero no sin reservas o cautelas. En griego, *gaion* significa alegre pero también orgulloso, altivo y arrogante; el antiguo germánico une la alegría (*gahi*) a lo impulsivo y repentino, y aquí aparece nuevamente la velocidad propia de la *alacritas* latina. El francés *gai*, originado en el vocabulario de los trovadores provenzales del siglo XI, reconoce el mismo origen que *gahi*, el gótico *gaheis*: impetuoso. *Gay*, en inglés, procede del francés.

También tenemos *contento* y la doble y peligrosa vertiente de *contener* y *contentar*: el diccionario nos informa que mientras contener (del latín *continere*), entre otras cosas significa mantener unido, encerrar, llevar dentro de sí, reprimir, suspender el movimiento de un cuerpo, moderar una pasión, contentar es satisfacer el gusto o las aspiraciones propias. Quien *contiene* actúa como un dique; quien *contenta* satisface las expectativas del otro y lo conduce al gozo. No es un azar, por cierto, el que en los conflictos sociales de nuestro tiempo se hable tanto más de contener que de contentar. *Contento*, satisfacción, que suenan a tranquilidad alcanzada, concuerdan bien con la visión freudiana de la pulsión que logra su objetivo y se apacigua, del mismo modo que el placer, etimológicamente, proviene del verbo aplacar, calmar.

Es curioso el comprobar que la noción de contento puede estar vinculada a la noción de hartazgo, a través de la noción de lo bastante, lo suficiente. Nuestra *satis-facción* deriva del adverbio latino *satis*, lo suficiente: estamos satisfechos cuando se ha hecho o realizado lo bastante en nuestro favor. La misma procedencia tiene el verbo *saturar*. Pero de *satis*, curiosamente, se desprende también el *sad* inglés, que refleja tristeza; *I had enough* tiene un sentido peyorativo allí, y significa algo así como "con esto me basta, con esto me harté". (Y recordemos que en español un sinónimo literario de *bastante* es *harto*.) Es decir, la medida de lo bastante puede interpretarse tanto negativa como positivamente: a veces se trata de una situación placentera y en otras ocasiones de una circunstancia irritante –cuando decimos "¡basta!", nos apoyamos en el cariz negativo de la palabra–. De modo semejante se relacionan el alemán *genügt*, bastante, y *geniessen*, comer, tomar, beber, saborear, disfrutar, gozar, y el holandés *genoeg* y *genieten*, con significados similares.

Como cabe esperar, la alegría tiene muchos racimos. El diccionario etimológico de Buck indica distintas sensaciones físicas y cualidades estéticas relacionadas con las raíces vinculadas a la alegría: una de ellas es el brillo, como lo dice nuestra propia expresión "radiante de alegría". La misma imagen se atestigua en griego con *ganos*, que significa gozo, orgullo, aspecto alegre, pero también *brillo*, mientras *ganumai* equivale a brillar de alegría. *Jovial* significa "bajo el signo de Júpiter", y este nombre proviene a su vez del indoeuropeo *deiw*: brillar, ya que Júpiter (también ascendiente de Dios o Zeus) significa padre del día. *Jovial*, por lo tanto, es a la vez alegre y brillante. De un modo semejante, en antiguo inglés *glad* significaba alegre y reluciente, así como *bliss* (felicidad) se relaciona con *bhel*, *bhlei*, que significa brillar. Otras nociones vinculadas con la expresión de la alegría son deseo, belleza, gracia y placer –mientras que en ciertas lenguas la tristeza se vincula con la sangre y la crueldad, como en el antiguo inglés *dreorig*–.

Podemos relacionar *euforia* con su origen griego: *euphoreo* (de *eu*, bueno, y una raíz indoeuropea, **bher*: llevar, de donde proviene el *fero* latino –soporto, llevo–, de descendencia multitudinaria: *referir*, *conferir*, *transferir*, etc.): llevar felizmente, conducir a buen puerto. *Euphoros* es fácil de llevar; favorable, propicio; fuerte, vigoroso; fértil. Lo que nos recuerda la expresión: "lo lleva bien". En estado eufórico, nos llevamos bien con la vida, y ella, recíprocamente, con nosotros. Y ahora, esperando haber llevado a buen puerto la alegría, nos adentramos en la felicidad.

2. Felicidad

Aun cuando no se alista como tal en el inventario canónico de las pasiones, la felicidad participa de la intensidad, el desborde y el éxtasis que caracteriza a muchas de ellas. La búsqueda de la felicidad está inscripta en la Constitución estadounidense como un derecho inalienable, y los costos de esta búsqueda sin duda apasionada han sido suficientemente asoladores para el resto del planeta como para prescindir de esta palabra en nuestras investigaciones. Ascender por caminos etimológicos al origen del término *felicidad* depara no pocas sorpresas. Los estudios al respecto están de acuerdo unánimemente en que la palabra proviene de una raíz **dhe(i)*, chupar, amamantar. En griego encontramos *thao*, chupar, ordeñar, y también *thea*, diosa (¿acaso diosa madre, madre naturaleza?). Esta raíz se expande por todo el territorio indoeuropeo, desde el irlandés hasta el sánscrito, y guarda siempre el sentido de chupar, apareciendo en vocablos que designan al cordero, la sanguijuela o al ternero en distintas lenguas.

De la misma raíz *dhe(i) en su forma reducida dhe- proviene en griego thele: pezón. Teta es un derivado de thele; quizás, como en el caso de mama, nos encontramos aquí con otra instancia de reduplicación infantil[28]. En hebreo, uno de los nombres para seno, teta, es dad, donde también se observa una reduplicación. *Dhe(i) en sus formas reducidas evoluciona fonéticamente como fe-, y encontramos esta raíz en el latín femina, al que corresponden nuestros femenino, feminismo (que son cultismos) y hembra, que ha seguido la evolución fonética popular, con la caída de la f- inicial y la secuencia m- vocal inacentuada-n resolviéndose como mbr, al igual que en hominem > hombre. También se relacionan con *dhe(i) fertilidad y fecundidad. La hembra, proveniente de femina (italiano femina, francés femme), es, biológica y etimológicamente, la que amamanta o da la teta, el pe-

---

[28] Cabe preguntarse cómo, de un mismo sonido original, se derivan consonantes al parecer tan distintas como la th- griega –en realidad, pronunciada como una zeta aspirada– y la f- labiodental que aparece en felicidad. Tengamos en cuenta que en realidad se trata de dos consonantes fricativas, es decir, que se producen mediante un cierto frotamiento, aspiradas (como lo indica en el caso del inglés o del francés la grafía ph por f en philosophy, philosophie) y que requieren ambas el contacto de los dientes con la lengua o los labios. La letra griega inicial de the le presenta un círculo con un punto en el centro: imagen del pezón.

zón. Según Ernout y Meillet, San Isidoro de Sevilla dice en sus etimologías que *femina* es nombre que conviene a lo natural, es decir, se aplica a los animales (*agnus femina* quiere decir cordera), mientras *mulier* (antecedente de *mujer*) corresponde a lo genérico humano[29].

Lo feliz proviene de *felix*, un adjetivo latino también emparentado con la raíz **dhei* en una forma reducida, que nos remite directamente a la experiencia del amamantamiento. Según Zimmerman, de esta experiencia proviene el sentido de mostrar placer, estar satisfecho, que tomó después: es decir que el niño amamantado y apaciguado por la leche materna sería el modelo mismo de la felicidad. Más adelante veremos que lo feliz abarca no sólo al niño amamantado sino a la madre amamantante, y a ésta en realidad en primer término. *Felix* significa en primer término el que produce frutos, fecundo, fértil. Plinio dice que el vulgo llama infelices a los árboles que no dan fruto. También quiere decir favorecido por los dioses, feliz. La felici-

---

[29] Al respecto, es curioso que carezcamos de etimologías claras en lo que concierne a *mulier*. Algunos aventuran que podría relacionarse con el adjetivo latino *mollis*, lo suave, pero hay pocas evidencias al respecto. Acaso *mulier* (*moglie* en italiano, *mulher* en portugués) podría venir de *mulguere*, que significa en latín extraer leche, ordeñar, y que se relaciona, obviamente, con *milk*, leche en inglés. Quizás haya también una relación, que convendría explorar, con el verbo latino *mulceo*: acariciar, halagar, seducir con halagos, ablandar, calmar. Estas correlaciones nos recuerdan inevitablemente la que existe entre las dos acepciones de *lacto* dadas por los diccionarios etimológicos, que ya hemos comentado. Otros nombres para la mujer, aparte de *mulier*, son *matrona* (obviamente relacionado con *mater*), y *coniux* (cónyuge), que en realidad es común a ambos esposos y alude al yugo común que los une como a bueyes uncidos.

dad se mide entonces, según este recorrido semántico, por la capacidad del cuerpo materno de darse a sí mismo, creando la unión afectiva y nutricia única del amamantar y el mamar. La fertilidad que de aquí se deriva es la del crecer y el hacer crecer.

Cabe preguntar ahora de dónde proviene *pezón*, y la respuesta la ofrece el latín con *pes, pedis*, que significa pie y que luego, a través de un diminutivo, nos dará *pecíolo*, es decir, la ramita, sostén o pequeño pie que sostiene la hoja, la inflorescencia o el fruto en las plantas. El pezón, nos dicen los diccionarios sin rodeos, es la parte central, eréctil y más prominente de los pechos o tetas, por donde los hijos chupan la leche. Lo que se pierde, eufemísticamente, en la conexión con el amamantamiento, se gana acaso en la gracia de la metáfora vegetal. Existe también, con el mismo significado, *tetilla*. El inglés *teat*, el holandés *tepel* y el francés *téton* conservan también, a través de su consonante inicial, la memoria del **dhe* materno.

Un eufemismo menos logrado es *seno* en lugar de teta o mama. La definición del Drae no deja de ser curiosa: "Concavidad o hueco que forma una cosa encorvada; pecho, mama de la mujer. Figurativamente, regazo, lo que recibe en sí a algo o a alguien, dándole amparo, protección, consuelo, etc.". (A pesar de estas lisonjeras expresiones para el género femenino, digamos por lo menos que vincular bajo el mismo término lo cóncavo y lo hueco con las mamas es un extraño giro mental que acaso acontezca solamente en la fantasía de los varones, en particular aquellos aficionados a los diccionarios.) También se lo define como matriz de la mujer y de las hembras de los mamíferos.

En cuanto al adjetivo latino *fecundus* > *fecundo*, proveniente de la misma raíz, se dice de la tierra, las semillas y de las hembras. La función nutricia, como vemos, no es privativa del pezón materno y se expande metafóricamente hacia otras áreas de la vida; pero el modelo arquetípico es la teta o el pezón. Aquí como en muchas otras ocasiones, es el cuerpo humano el que sirve de apoyo primordial a la expansión léxica en otros niveles de la realidad.

La raíz **dhe(i)* se revela también en *fel-latio*. En términos del lenguaje y de la etimología resulta evidente, por lo tanto, que la primera *felación* es la del pezón. La succión láctea que realiza el infante se traslada más tarde, en el encuentro sexual, a las zonas genitales. Como ya lo hemos notado, no es un azar, por cierto, el hecho de que coloquialmente, entre nosotros, se llame leche al esperma; lo contrario –llamar esperma a la leche– sería por lo menos insólito. Además, se asocia la misma raíz con *fe-to* y con *hijo*, que es *fil-ius* en latín, *fi-ls* en francés y *fi-glio* en italiano. El hijo, en efecto, es quien posee el pezón o cuelga de él. Las palabras mismas parecen estar diciéndonos, entonces, que hay una relación profunda entre el nombre de la mujer y la anatomía femenina en su relación directa con el placer y la fecundidad. *Fémur* (en latín *femur*, muslo) parece estar relacionado con la misma raíz –al menos en etimología popular, según San Isidoro de Sevilla, una fuente pintoresca pero poco fiable en muchos sentidos– porque el muslo es una parte del cuerpo donde varones y mujeres difieren en particular.

Según Benveniste, los romanos ignoraban la relación existente entre *felix* y *fellatio* –del mismo modo que hoy no sospechamos los vínculos que existen entre *felación, felicidad* y el antiguo nombre del pezón materno–. El idioma revela y vela: la felicidad mutua de madre y niño en el ritual del amamantamiento era y es, acaso, una noción y una experiencia demasiado difícil de incorporar en la trama patriarcal del lenguaje, desde los romanos hasta nosotros. Por el contrario, la cultura matriarcal, la de los primeros creadores del indoeuropeo, no sintió necesidad de reprimir estas asociaciones, ni tuvo ningún reparo en exponerlas. Prueba de que el inconsciente y sus represiones tienen su historia: sería el momento de reconocer el mérito de Freud al desenterrar el inconsciente colectivo, como también lo hizo Jung a su manera. Cabe prolongar esta tarea con la excavación del inconsciente del lenguaje, esa selva de símbolos que atravesamos sin atinar a descifrar del todo lo que decimos. De ese olvido proviene el borramiento del sentido más profundo y removedor de la felicidad: ocultamiento que podemos interpretar como un síntoma evidente del dramatismo del triángulo edípico, y la profundidad del tabú que éste origina[30].

---

[30] Acaso podamos relacionar estas reflexiones con una de las primeras escenas del *Edipo Rey* de Pasolini, en la que una espléndida Silvana Mangano está amamantando a Edipo, mientras su rostro refleja un placer extraordinario. Llega Layo y, naturalmente, se anuda la tragedia. La escena es extraordinariamente fuerte, sobre todo porque parece apuntar a un tabú con respecto a experiencias muy generales pero poco reconocidas en la maternidad. En el filme, lo que parece contar es la representación de las circunstancias externas que originan el Complejo de Edipo desde el punto de vista de los padres. En el lenguaje, en cambio, estas fuentes se dan a nivel inconsciente, explorables sólo a partir del saber etimológico.

Una notable consecuencia del estrabismo al que conduce una lectura exclusivamente patriarcal del amamantamiento la encontramos en el diccionario etimológico de Ernout y Meillet, donde *titillare* (que proviene de *titta*, pezón) significa según ellos la acción por la cual la madre cosquillea con su pezón los labios del niño para invitarlo a mamar. La idea de que el cosquilleo se transmite ante todo de los labios del niño al pezón de la madre en el acto de mamar, no irrumpe de ningún modo desde la severa y vigilante mirada que niega semejante interacción, afrenta máxima al antiguo honor de Layo.

No hay ninguna duda, lingüísticamente hablando, de que a través de su capacidad de amamantamiento las mujeres se vinculan con la felicidad, así como con el reino del amor, conexión que hemos visto en un capítulo anterior. Como conclusión, diríamos que el lenguaje, insospechadamente, trata mejor a las mujeres que la cultura o la historia, o bien, alternativamente, que a pesar de un pesado pasado, preserva todavía las raíces de un matriarcalismo que asigna formidables poderes vitales al "sexo débil".

3. Esperanza

En *Las leyes*, Platón dibuja la taxonomía de las pasiones, ubicadas en un terreno intermedio entre alma y cuerpo: organiza la dupla placer/dolor y sus correspondientes futuros, esperanza y temor. La esperanza, fuerte brújula orientada al placer o a la felicidad, es ilusión para algunos y carisma para otros. Péguy, el poeta socialista francés, en un hermosísimo poema dedicado a ella, la llama la hermana menor de las otras grandes virtudes teologales, la fe y la caridad. Compañera de las utopías, donde encuentra a su hermanastra, la fe en el progreso, no hay duda de que la esperanza puede también ser una pasión. Participa de la intensidad y la ceguera del amor, de la tenacidad de la envidia, de la megalomanía del orgullo; es contagiosa como la cólera y vibrante como la alegría. Y Cioran afirma: "la esperanza es el estado natural del delirio". Pero no siempre se la mira con beneplácito.

La mitología griega nos habla de Pandora, nombre que significa "todos los dones", la primera y más hermosa mujer, que por orden de Zeus fue modelada con tierra y con agua. Los dioses la habían colmado de bendiciones, pero Hermes puso en su corazón la mentira. Para proteger al género humano, los males habían sido encerrados en una vasija, pero Pandora, que estaba destinada a castigar a los mortales por la osadía de Prometeo, no pudo resistir su curiosidad, y al abrirla, todos se esparcieron volando por el mundo –salvo la Esperanza, que quedó encerrada en el fondo–. Don malévolo de los dioses, la esperanza, según una versión, impidió que los mortales se suicidaran en masa ante la propagación indetenible de los males. Desde entonces reparte sus engañosos consuelos entre los mortales.

Notemos entonces que en su origen, según esta leyenda que revela la irónica sabiduría de los griegos, la esperanza era un mal como todos los otros. En el *Prometeo encadenado*, Esquilo hace decir a Prometeo que él ha dado a los mortales, junto con el fuego, la esperanza, que es ciega, para impedirles que contemplen

su destino. En tren de posibles reinterpretaciones, es
curioso, en realidad, que el nombre de Pandora signifique todos los dones, cuando ella era la encargada de
custodiar el recipiente que contenía todos los males.
Otra versión señala que la vasija contenía en realidad
todos los bienes, que escaparon a la morada de los dioses, dejando a los mortales librados al imperio de los
males: esta versión rescataría el perfil benévolo de la
esperanza. Puede pensarse también que Pandora, como
Prometeo, es símbolo del acceso del hombre a los bienes de la vida civilizada, del fuego en adelante, que
fueron robados a los dioses y que, desde una visión
pesimista, se consideran fuente de todos los males. La
existencia de distintas versiones, unas positivas y otras
negativas, acerca de su naturaleza, subraya la
ambivalencia que despierta siempre la esperanza, fuente de alienación para algunos y gaje de supervivencia
para otros.

No sólo los griegos, sin embargo, critican la esperanza. Poetas y pensadores célebres desconfían de ella:
Anouilh habla, a través de Antígona, de "la sucia esperanza"; Apollinaire la describe como violenta en uno
de sus más célebres poemas. Por su parte, Spinoza incluye a la esperanza entre las pasiones tristes porque
en su sistema metafísico ella es disminución de la potencia y pasaje a un estado de menor perfección, como
sucede con todas las pasiones tristes. Según él, la esperanza es un gozo inconstante, nacido de la idea de una
cosa futura o pasada, de cuyo resultado dudamos de
alguna manera. La equipara antitéticamente con el
miedo, ya que considera que estas dos pasiones –negativas en su sistema– son particularmente relevantes

por los problemas éticos, religiosos y políticos que intentan resolver: sometidos al imperio de la esperanza y el miedo, los hombres se vuelven crédulos y serviles.

No hay esperanza sin temor, ni temor sin esperanza: se trata de dos afectos inestables e imprevisibles, dice Spinoza, y aun cuando todos lo son, figuran entre los más violentos. Por una parte, mientras se está pendiente de la esperanza, se teme que lo deseado no se realice; por el contrario, quien experimenta temor imagina una situación de exclusión, que conduce a la resignación y a la parálisis. El individuo temeroso se entrega fácilmente a promesas de seguridad que dan origen a su utilización como instrumento de dominación política. Mientras duran, estos afectos dominan el cuerpo, la imaginación y la mente del sujeto, llevándolo a la pasividad.

Como afirma Remo Bodei, Spinoza polemiza contra los apóstoles de la esperanza terrena y los predicadores de la felicidad celeste, es decir, contra todos cuantos imaginan a los hombres diversos de lo que son, delineando sociedades utópicamente perfectas, donde razón y libertad reinan soberanas sobre las pasiones. La esperanza se vuelve entonces instrumento de obediencia y se asocia fácilmente con el fanatismo. La aspiración de Spinoza, en cambio, es alcanzar la vida en una organización social cuyo sentimiento de seguridad la ubique más allá del miedo y la esperanza. Goethe y Nietzsche seguirán los pasos de Spinoza en este sentido: uno de los personajes dramáticos del primero considera al miedo y a la esperanza los dos mayores enemigos del hombre; el segundo habla de la esperanza como el peor de los males.

Convengamos que la noción tradicional de esperanza es más positiva, con todo, que la de Spinoza.
"Espera de algo deseado, considerado posible o probable, pero inseguro", la definen los diccionarios. Como
virtud teologal, la esperanza cierta se funda en la fe en
Dios, garante de su cumplimiento. "La fe es la sustan-
cia de las cosas que esperamos", dirá San Pablo.

Interesante es notar que el verbo español *esperar*, a
diferencia de lo que ocurre en general y particularmente
en otros idiomas descendientes del latín, confunde el
sentido de espera y esperanza, algo que entusiasmaba
a André Gide, originario de una lengua donde *attendre*
y *espérer* tienen sentidos muy distintos. Cabe preguntar si tal confusión omite el sentido ilusorio de la esperanza, menos confiable que la espera, o bien señala que
la espera, tanto como la esperanza, puede también ser
defraudada.

La dinastía etimológica de la esperanza, con todo,
es clara y brilla en la raíz indoeuropea *spe*, que significa expandirse, aumentar, y se extiende a cualquier tipo
de expansión en sentido físico o psíquico: tener éxito,
ser capaz de llevar algo adelante. *Spe* dará en latín *spes*
(espera de un suceso feliz), de donde nuestra *esperanza*, que es tensión y despliegue afectivo hacia el futuro.
Pro-spere significa prosperar en latín, es decir, evolu-
cionar según lo esperado, volverse pró-spero. Esta tensión hacia el futuro en los términos derivados de la
raíz *spe* originalmente está coloreada de buen resultado: éxito, aumento, capacidad para algo; sólo más tarde incluirá el matiz del temor.

En sánscrito el verbo *sphayate*, derivado de la misma raíz, se traduce como "aumenta". En hitita *ispata*

significa lanza, y en griego *spao* es sacar, extender, aplicándose sobre todo a las espadas (*spathe*, espada ancha y larga), ya que la espada es precisamente lo que se extiende hacia delante. También está relacionada con **spe* la *espátula*, instrumento para expandir o esparcir algo. De la descendencia de **spe*, a través de la modificación *span*, encontramos en anglosajón *spowan*: prosperar, y *spannan*: tender. El holandés actual *spanning* (excitación) también lo evidencia. (Notemos que, en francés, *attendre*, que nosotros traducimos como esperar, se forma desde el latín *ad-tendere*: también está aquí presente la tensión.) En antiguo inglés encontramos otro descendiente: *sped*, éxito, que también se relaciona con *speed*, prisa. En letón, *spes* significa poder.

Como hemos dicho, la derivación desde esta raíz hacia el sentido de esperanza como espera de algo inseguro o de temor aparece más tarde, y caracteriza la noción de esperanza en sentido moderno. Diríamos en principio que la esperanza temerosa no es una noción de la cultura indoeuropea original, pero en todas las culturas y lenguas posteriores apareció más tarde la experiencia de una espera incierta, y todas crearon distintos términos para esta experiencia, pero sin una fuente común. Así, el griego *elpis*, además de esperanza de algo incierto, incluye otros sentidos: simple espera, temor, conjetura, creencia, pensamiento (en el sentido de "creo que"). *Euelpis* significa buena esperanza. En las lenguas germánicas, *hope* en inglés (que se relaciona con el verbo *hop*, ya que la imagen es la del salto con el que se trata de atrapar algo), *Hoffnung* en alemán, descienden de raíces desarrolladas tardíamente, que también contienen un elemento de inseguridad.

Acaso pueda hipotetizarse una evolución de la noción de esperanza: en las culturas que concebían (y conciben) a la naturaleza y el cosmos como obra de divinidades creadoras, dispensadoras, protectoras, la satisfacción de las necesidades y la seguridad estaban confiadas a ellas, y en el caso de los indoeuropeos esta esperanza era entonces "esperanza confiada", como la del niño en su madre, y no estaba teñida de temor: no es la esperanza triste a la que se refiere Spinoza. En culturas en las que, a partir de los griegos, el hombre pasó a ser el centro, en las que se fue acentuando cada vez más la conciencia de la propia individualidad, la propia capacidad, la esperanza de la satisfacción de necesidades y de seguridad dejó de estar depositada en divinidades, que cada vez fueron desdibujándose más, y ya laicizada pasó a las manos del mismo hombre, de individuos cada vez más aislados y también más cargados de temor. Ésta es la *spes* latina, tendida hacia un futuro frecuentemente inseguro[31]. Más allá del progresismo optimista de los tiempos del Iluminismo, la posmodernidad acentuará una actitud negativa con respecto a la esperanza.

---

[31] Existe otra raíz indoeuropea que ya en el origen abarca aspectos de lo que entendemos por esperanza, pero de una esperanza asociada con la fe y la confianza. Se trata de *bheidh*, que significa persuadir y confiar, y de la que deriva el latín *fido*: tener confianza, y *fides*: confianza. Benveniste señala que *bheidh* representa la "noción de confianza que se deposita en alguien de quien se espera protección, a quien se le cree, quien a su vez tiene 'créditos' como para que se le crea, y por eso persuade, y por lo tanto obliga. De allí el gótico *beidan*: confianza en que se cumpla algo, un suceso esperado, con la confianza que da la convicción; creer y por eso esperar; poner la confianza en alguien o alguna cosa que

Notemos ahora la existencia de *SP*, una onomatopeya que sustenta a **spe* y se relaciona con otras raíces y derivaciones que parecen estar vinculadas con su sentido central. Así tenemos **spen*, que significa estirar –una manera de expandirse– y también hilar. En inglés *spinner*, hilandera, y *spider*, araña, provienen de esta acepción. En otras lenguas indoeuropeas se desarrollan palabras con significados afines, como trenzar o trabar. En griego, por ejemplo, donde se pierde la *s-* inicial, *pene* es trama o tejido, y *penion* se llama al copo de lana en la rueca. En alemán *spinnen* es hilar; notemos que se hila en la rueca, en la que el hilo *pende* de una vara. Es decir, habría una relación entre hilar y pender. La imagen primera es la del estiramiento del hilo que se fabrica para el tejido, y de esta imagen y esta misma raíz **spen* se derivan después otras que designan otras formas de pender.

Pendere, en latín, derivado de **spen*, significa pender, estar colgado y da *péndulo*, *apéndice*, *depender* y *pender* entre otras derivaciones. También dará *penis*, que significa originariamente la cola que comparte el hombre con seres cuadrúpedos, y *pincel*, de *penicillus*, diminutivo de *penis*. *Cola* es *cauda*, lo que cae –del verbo *cadere*–, y *cauda* y *penis* son sinónimos, ya que ambos significan extremidad que cuelga. La lengua parece

---

se espera". Se trata de la "espera esperanzada" de la que habla San Pablo (1ª Cor., 13,7): "el amor lo cree todo, lo espera todo, lo soporta todo". Es ésta una esperanza sin incertidumbre, de algo que se espera sin temor de que no se realice pero no como un simple aguardar, sino el aguardar como se aguarda que salga el sol –porque lo que está en juego es la confianza, la relación personal con algo o alguien de quien provendrá lo que se espera–.

diferenciar drásticamente entre el órgano masculino en
estado de reposo y en su acción eréctil, para la que reserva el nombre de *falo*, derivado de *phallus*, rescatan-
do así el orgullo masculino. Por lo tanto, la célebre envidia del pene, traducida etimológicamente, representa-
ría una peculiar e inexplicable envidia acerca de una
cola que cuelga o cae. Es decir, el nombre apropiado
para el sentimiento al que apuntaba Freud, si nos atenemos a la realidad lingüística, debería ser el de la envidia del poder fálico, teniendo en cuenta, además, que
el falo –que se describe en los diccionarios etimológicos
como lo erguido, floreciente y burbujeante– no designa específicamente al órgano masculino, sino a toda
zona capaz de erección, lo que incluye, naturalmente,
el clítoris y los pezones de ambos sexos. Es decir, lo
fálico no está adscripto exclusivamente a los poderes
viriles, sino que designa la plenitud de la sexualidad
humana, cualquiera sea el género que la experimente
y la demuestre. La raíz de falo, **bha*, produce en todas
las lenguas indoeuropeas una interesante catarata de
verbos y sustantivos relacionados con verbos como
brillar, florecer, que invitan a ulteriores investigaciones.

Entre otras derivaciones de *pendo* tenemos el
frecuentativo *penso* que significa originariamente pesar en una balanza: la forma primitiva de pesar es dejando pender el objeto que cuelga de la mano, y ésta es
también la forma más primitiva de balanza, la de la
bandeja que se sostiene de la mano y en la que se colo-
ca el objeto que se quiere pesar. *Pensar* es sopesar ideas.
De allí proviene, probablemente, la expresión "razones de peso". Notemos que los objetos que penden

pueden llegar a extenderse y a crear una cierta tensión, como lo explicita el significado originario.

Es muy notable que *esperanza* se diga en hebreo *tiqvah* (que significa asimismo fe, finalidad, meta), sustantivo procedente del verbo que equivale a "estirar como una soga", como si las expectativas se estiraran hasta el límite. (Nuestra palabra *esparto* está relacionada precisamente con las raíces citadas, que indican estiramiento.) También existe el verbo *qawáh*, que significa estirar, esperar con confianza. La identificación de esperanza con estiramiento y tensión aparece así como una metáfora tan poderosa que atraviesa fronteras de tipologías lingüísticas diversas. Pero notamos que, a diferencia de las lenguas indoeuropeas, la esperanza hebrea no conoce temor ni inseguridad, ya que se identifica con una noción de confianza plena. Desde el momento en que se puede intercambiar con "estar seguro" tiene una clara nota de certeza. Así en hebreo bíblico *batah* es confiar, estar seguro, asegurar, y *betah*, seguro, confiado, sin peligro; sin miedo.

Una manera especial de extenderse es avanzar perforando algo, y así tenemos *spei(k)*, puntiagudo, que nos dará en inglés *spik*, clavo, y *spike*, eje, según el diccionario de Watkins. En derivaciones que se relacionan con el *picar* de los pájaros, wood*peck*er, mag*pie* –un tipo de urraca–, cae la s inicial. También de esta raíz provienen expresiones que significan aguijón, o *espina*. *Espiga* es lo que sobresale hacia arriba después de abrirse la semilla, y *espigón*, una construcción que avanza sobre el mar. *Espetar* es clavar en la punta del asador.

Otra derivación relevante es *sper*, que significa esparcir. Antes de que se descubriera la agricultura

–para cuyo desarrollo se requieren miles de años– los hombres se reproducían, y es por comparación con lo conocido –esperma, semen– que se llamó a la actividad de esparcir la semilla con la misma raíz que encontramos en esperma, que quiere decir lo esparcido, pero que puede significar también, simbólicamente, tensión y despliegue hacia el futuro. En griego encontramos *sperma*: semen, semilla, y *spora*: siembra, simiente, semilla. El esperma que el varón deposita y que se cultiva en el vientre de la mujer se identifica con la trayectoria de la semilla hacia la tierra: claramente, las metáforas agrogenitales son primarias. En prusiano antiguo, *sembrar* se dice *semen*. En griego *spora*, siembra y procreación, simiente, semilla, da en nuestra lengua *espora* –célula que se separa de la planta y se divide reiteradamente hasta constituir un nuevo individuo–. En germánico, *sprut* significa brote.

Vemos así que *SP*, que probablemente en su origen fue primero gesto y sonido de algo que se impulsa con fuerza desde la propia boca, expiración, o esputo, fue después desarrollándose como raíz para designar infinitas realidades con características "parecidas" (siembra, espada...); entre ellas, más tarde, la esperanza: algo a lo que se tiende con intensidad. La expansión que implica *SP* puede ser proliferante y explosiva, como lo demuestran *espuma, escupir, esputo*, todos términos relacionados con raíces colaterales. Parece pertenecer también a este grupo *spel*, brillar, y que aparece en esplendor, esplendidez. En inglés, *spell*, de la misma raíz, significa decir en voz alta, recitar y deletrear; también corresponde a hechizo. *Spreg, speg*, dan en inglés hablar y habla (*speak, speech*), y en holandés, *spraak*, que significa habla. El hablar y el resplandecer son a veces etimológicamente concomitantes, ya que son expansiones del ser, y están tendidos hacia fuera: "Habla, para que pueda verte", dice Lichtenberg. La luz (faros y semáforos) y la palabra son ambas portadoras de signos y como tal los identifica el lenguaje.

El latín *spec-* significa ver (como lo vemos en e*spec*táculo) y justamente el ojo es el órgano sensorial que tiene que ver con la extensión, aquel que más lejos lleva nuestra capacidad perceptiva y la despliega a la distancia: ciertas cosas que no podemos escuchar, oler, gustar ni palpar son accesibles en cambio a nuestra vista. Dentro de esta familia también tenemos e*spía* –alguien que necesariamente mira más allá del contexto familiar–. Probablemente no sea un azar el que en irlandés del Norte la palabra que designa al ojo, *suil*, sea la misma que designa a la esperanza.

Notemos asimismo que en latín, *spirare* –del que los diccionarios eluden los orígenes, pero que está sin duda relacionado con una onomatopeya central *SP–* está involucrado en a*spir*ar, in*spir*ar, re*spir*ar, su*spir*ar y sobre todo en e*spír*itu. Sería interesante explorar, a título de hipótesis, posibles relaciones de metátesis entre las raíces *sp* y *ps*, significando expansión física y a la vez aspiración espiritual; *psy*che en griego es el nombre del alma. Y alma viene del latín *anima*, relacionada con *anemona* en griego, flor que se abre al menor golpe de viento. Todas estas raíces tienen que ver con gestos respiratorios.

El e*spec*táculo que implica el ver, el e*spl*endor que nos despliega en la luz, el hablar que en las lenguas nórdicas siempre muestra la *sp* de *speak*, el re*spir*ar, el e*sper*ma que nos reproduce, la e*spig*a que atraviesa la semilla como el e*spi*gón atraviesa las olas, son todas actividades, instancias que nos expanden en el espacio y en el tiempo. Y probablemente, en el mismo e*spa*cio se tenga una visión lingüística coherente con la física moderna, que le atribuye propiedades expansivas (ek-*span*-sivas). La noción común a estas imágenes parece ser: tensión, crecimiento, expansión; y como lo hemos visto, la expansión se obtiene a veces a través de un crecer, un e*spar*cir o un de*sparra*-marse y derramarse.

La prisa (*sp*eed) nos hace progresar en el espacio, la e*sp*eranza en el tiempo; el e*sp*acio mismo es elástico y se expande constantemente; las hilanderas y las arañas (*spin*ners y *spid*ers) tensan sus hilos alargándolos; los clavos (*sp*iks) y las e*sp*inas avanzan a través de sus perforaciones; las e*spor*as se separan de la planta y se esparcen a través de sus progresivas subdivisiones; la e*sp*uma y el e*sp*erma son expansiones o derrames de líquidos contenidos; el habla –*sp*eech que es respiración, alma modulada– es la expansión más directa de la persona humana, como el e*sp*lendor es la expansión natural de la luz; la e*sp*átula esparce colores y la e*sp*ada amenaza, perfora y mata adelantándose; el ojo e*sp*ía que llega a ver estrellas y planetas extiende su poder sobre los otros órganos sensoriales, a los que aventaja en alcance y distancia, brindándonos toda clase de e*spect*áculos; e*sp*iramos, a*sp*iramos, in*sp*iramos, su*sp*iramos, re*sp*iramos integrándonos al aire que nos rodea. Y esta constante tensión, este crecimiento, parece ser gobernado por una de las realidades básicas originales de la metáfora, el aire espirado con fuerza, es decir por el espíritu, que acaso sea esto solamente: tensión, expansión y crecimiento constante –como el espacio mismo–. Como la esperanza.

Epílogo

El recorrer las pasiones mirando los antiguos ropajes que las nombraron en los tiempos primitivos nos ha permitido, entre otras cosas, vislumbrar el poder de las tensiones represivas y progresivas en la sociedad. Es cierto: imbuidos de romanticismo y de psicoanálisis, trastornados por el poder de la pareja, hemos olvidado –nos han hecho olvidar– la naturaleza materna primordial del amor; también ignoramos lo sagrado en el ímpetu de la cólera. Pero en cambio hemos recuperado la vehemencia de la pasión primitiva encerrada en el *eis –aun cuando quede despojada de varias de sus características primarias–.

Un capítulo importante de la historia de la cultura, a nuestro modo de ver, debería revelarnos qué acontecimientos o qué ideologías imprimieron nuevos significados o fueron determinantes para cancelar otros en el olvido colectivo. En la exclusión de significados se instala, sin duda, el trabajo represivo. Cuando se habla de la envidia del pene, por ejemplo, se olvida la serie de prohibiciones que nos impiden hoy relacionar mutuamente lo femenino, la felación y la felicidad, un bloqueo que puede adscribirse a lo que, respaldados por la tradición etimológica, llamaríamos razonable-

mente la envidia del pezón. Otro ejemplo que podemos considerar es el de la palabra *adolescencia*, que suele
confundirse con una enfermedad o con un defecto porque, como lo señala Luis Kancyper, se la cree relacionada con el verbo *adolecer*; pero esta confusión dista de
ser inocente: nos indica la imagen negativa que tiene
de los adolescentes nuestra sociedad. De hecho, *adolesco*
proviene de *al*, que significa crecer, desarrollarse, arder; en sánscrito, la raíz sirvió para designar el fuego,
y en tocario para "vida".

Como hemos podido vislumbrar a lo largo de estas páginas, la fuerza de perduración y expansión de
los signos iniciales del lenguaje es poderosísima, tanto
que podríamos decir que, si se redujeran los diccionarios actuales a sus raíces indoeuropeas, no habría gran
diferencia de número de palabras con los diccionarios
europeos actuales. En efecto, la mayor parte de las palabras con las que nos comunicamos, las más impor-
tantes, son simplemente combinaciones de las raíces
primitivas con prefijos, sufijos y otros elementos
morfológicos añadidos con el correr del tiempo. De allí
la necesidad de un permanente desciframiento de los
significados contenidos en estas raíces, tan profundas
como tenaces.

La antigua avenida poblada de diccionarios
somnolientos ha desembocado en un tapiz formidable donde se entrecruzan sombras y colores, donde
vibran recuerdos y se arrinconan en gamas grises los
olvidos. La ira que se identifica con la pasión y la pasión que se bautiza como sufrimiento, el aullido de la
avaricia y la bizquera de la envidia, el estro de la inspiración y el estrógeno del sexo, la leche del amor, los

trenos de la tristeza y la velocidad de la alegría, la hermandad de la esperanza y el esperma: he aquí un bosque de metáforas que nos retrotraen a la infancia del lenguaje, cuando el cuerpo hacía cuerpo con la palabra y las emociones estaban cerca de los huesos, la sangre, los ojos y la piel.

Gracias a la lectura que nos hemos propuesto, hemos visto que a una etapa animista, de fusión mágica con la naturaleza, que coincide con un estadio primitivo de todos los lenguajes y con la onomatopeya como recurso creativo léxico fundamental, sucede el tiempo de los dioses, en los cuales se proyectan y se catalizan las energías instintivas, corporales, que mueven a los seres humanos. En la cultura griega coexisten dos líneas paralelas: una glorifica la condición corporal del hombre y exalta la legitimidad y la sacralidad de las pasiones; la otra, dualista, concibe al cuerpo como su componente inferior y trata de moderarlas y neutralizarlas. (La desconfianza y la censura del cuerpo fueron también rasgos del dualismo gnóstico que desvalorizaba el cuerpo, la materia y los instintos.)

La difusión del cristianismo por toda Europa transformó las lenguas indoeuropeas que se hablaban allí, y bautizó palabras dándoles sentidos nuevos. Pero mientras que en el mensaje de Jesús toda la ética y todas las leyes se reducían al amor, en la historia posterior del cristianismo, el cristianismo legalizado e institucionalizado por el Imperio Romano, la segunda línea, la dualista, es la heredada. Cuando la pasión comienza a verse como producto exclusivo de los instintos corporales, se abren paso la demonización y el rechazo del cuerpo, y la represión consiguiente, en nombre de la ética y el espíritu. De todas las pasiones imperantes en la edad clásica, el cristianismo sólo salvó al amor –y sólo con condiciones estrictas–. Las otras pasiones se convierten en vicios y pecados capitales: lujuria, codicia, soberbia, ira, envidia.

La idea de que las pasiones son positivas reaparece en la modernidad: la nociva pérdida de límites condenada por los Padres de la Iglesia se relativiza frente al poderío dinámico de la pasión y su posible alianza con los poderes racionales. Si bien Kant insiste en considerarlas una "locura de la razón", los economistas, filósofos y políticos exaltan su función civilizadora. Hume valora la emoción, y llega a decir: "la razón es y debe ser esclava de las pasiones". Con Descartes y Spinoza se descubre lo inadecuado de entender a las pasiones como un simple enceguecimiento de la razón. Pero mientras el autor del *Discurso del método* consideraba deseable llegar al gobierno de las pasiones, Spinoza, más radicalmente, se opone a separar la razón de la pasión, la mente del cuerpo, la voluntad del deseo y el altruismo del amor propio. En definitiva, en su teoría, la cautela –referida a la relación con la sociedad cuando ésta rechaza y persigue la visión de comunidad amistosa que propone Spinoza– no puede estar exenta de amor intelectual. Spinoza dirá que el sujeto, al hacer consciente el deseo y las pasiones, las va transformando: partiendo de fuerzas que producen pasividad y esclavitud puede convertirlas en afectos esclarecidos por una razón apasionada.

Esta revisión del sentido de la pasión, llevada a cabo por los filósofos modernos, va reorientando su significado: una reinterpretación tan decisiva como

revolucionaria. Los lexicólogos atrasan: sin consultar-
los, cuando hablamos de pasión estamos más cerca de
Spinoza, Hume, Hegel que de los hacedores de diccionarios. Más tarde, la modernidad entronizará la razón
y el pensamiento científico como valores supremos del
nuevo ordenamiento burgués. El liberalismo, sin embargo, pudo ser apasionado: enarboló, sin duda, la
pasión de la libertad. Instaurada por Freud, la nueva
visión del psiquismo humano y del papel fundamental de lo inconsciente lo modifica todo. Las que pare-
cían llamarse virtudes muchas veces pasan a ser neurosis. La falsedad de las virtudes burguesas es denun-
ciada por pensadores tan diferentes como Marx,
Marcuse y Fromm.

Pero la modernidad es el paso de las pasiones ca-
lientes a las frías, es decir, el paso al frío y calmo interés: allí irrumpen las pasiones adquisitivas, el *homo
oeconomicus* de la edad liberal. Y la modalidad
consumista y mediática de la sociedad del mercado
globalizado introduce nuevas modificaciones. A pesar
de las nuevas posibilidades para los individuos, en
cuanto a la modernización de las costumbres y a la
construcción de una nueva imagen del cuerpo, aparecen fuerzas sumamente destructivas. Dentro del mar-
co del orden económico omnipotente basado en el lucro y el mercado, las nuevas pasiones se comerciali-
zan. El amor y la ira se reducen convirtiéndose en sexo
y violencia. La avaricia y la avidez se redefinen como
motores del progreso, la envidia se convierte en competencia creadora. La ambición, representada como
afán de progreso personal, la codicia, llamada supera-
ción económica, y la agresividad competitiva, valori-

zada como rendimiento profesional, se vuelven pasiones encomiables en el régimen del mercadeo.

El material que hemos ido recorriendo nos muestra que hay una historia de la palabra que va entrelazándose con la historia del ser humano y la evolución de las sociedades, y gracias a ella podemos descubrir progresivamente, entre otros ejemplos, el pasaje de la ira como pasión paradigmática del mundo clásico al amor como la pasión mayor de nuestros días –si bien otras pasiones, como las del poder y la guerra, son las que parecen dominar el mundo–. Esas otras pasiones merecen más espacio que el que les podemos dedicar en estas páginas. Queden entonces para futuras investigaciones, a las que nos gustaría ver sumarse la inspiración y el esfuerzo de otros amantes de las palabras.

Agradecimientos

El seminario de etimología que se reunió durante cerca de dos años en Goecro, el grupo de psicología social organizado por Lucía Mascialino, fue para nosotros la ocasión de imaginar este proyecto. El entusiasmo y la atención de sus participantes nos mostraron que había allí una veta que explorar y compartir en forma más profunda y detallada. A todos ellos nuestro agradecimiento.

Bernadette van Houten y Jorge Díaz proporcionaron generosamente la infraestructura que posibilitó las tareas de investigación de Ivonne Bordelois en las bibliotecas de Amsterdam.

Otros allegados y amigos suministraron pistas bibliográficas y sugerencias valiosas: Marta Espezel nos cedió la edición no abreviada del diccionario de Corominas; María Villanueva nos hizo llegar sus hallazgos; Julio Crespo avanzó dudas y sugerencias; Leandro Pinkler, Pablo Betesh y Jorge Salvetti compartieron con nosotros su saber helenístico y sus diccionarios griegos; el trabajo y los materiales de Héctor Zimmerman resultaron ocasionalmente muy oportunos. Octavio Kulesz proporcionó una lectura exigente que eliminó errores y aclaró con profundidad el alcan-

ce de ciertos conceptos tocantes al pensamiento griego. En esta última tarea aportó también su mirada y
saber profesional Victoria Juliá de Mascialino. Sergio
Zabalza discutió fervorosamente con Ivonne Bordelois
algunos de los postulados de este libro y dejó entrever
muchos de los aspectos filosóficos y psicoanalíticos que
pueden enriquecer nuestro tema. Finalmente, Luis
Kancyper fue un interlocutor lúcido y fiel, que ahondó
en el léxico hebreo y en las implicaciones de nuestro
trabajo con respecto a la perspectiva freudiana y a otros
conceptos que están renovando el campo psicoanalíti-
co contemporáneo. Ofreció también valiosas sugerencias bibliográficas.

Este aporte de todo un grupo alerta y generoso nos
parece indicar una expectativa promisoria con respecto al tema que en cierto modo estamos inaugurando.
Si la amistad es un banquete de intercambios, lecturas
y conversaciones apasionadas, este libro es testimonio
cabal de la amistad que lo hizo posible. Queden aquí
consignados nuestro reconocimiento y nuestra esperanza de que esa amistad se acreciente entre otras gen-
tes, en el tiempo y en el espacio, afianzada en la conciencia de ese lenguaje cuyo misterio nos maravilla y
nos sustenta infatigablemente.

Bibliografía

Diccionarios

Ayto, J.: *Bloomsbury dictionary of word origins*, Londres, Bloomsbury, 1991.

Bloch, O. y Von Wartburg, W.: *Dictionnaire étymologique de la langue française*, París, PUF, 1968.

Boisacq, F.: *Dictionnaire étymologique de la langue grecque*, Heidelberg, Carl Winter-Universität Verlag, 1950 (4ª ed.).

Buck, Ch. D.: *A dictionary of selected synonyms in the principal Indo-European languages*, Chicago, Chicago University Press, 1949.

Chantraine, P.: *Dictionnaire étymologique de la langue grecque. Histoire des mots*, 4 vols., París, Klincksieck, 1980.

Clédat, L.: *Dictionnaire étymologique de la langue française, 1851-1939*, París, Hachette, 1932.

Corominas, J.: *Diccionario crítico etimológico de la lengua castellana*, Madrid, Gredos, 1974.

De Vries, J. y Tollenaere, F. de: *Etymologisch Woorden-boek*, Utrecht, Het Sepctrum, 2000.

Diccionario de la Real Academia Española, Madrid, 1995 (edición en CD-ROM).

Ernout, A. y Meillet, A.: *Dictionnaire étymologique de la langue latine*, París, Klincksieck, 1939.

García de Diego, V.: *Diccionario etimológico español e hispánico*, Madrid, Espasa-Calpe, 1985.

Gómez de Silva, G.: *Diccionario etimológico*, México, Colegio de México, 1996 (5ª ed.).

Grandsaignes d'Hauterive, R.: *Dictionnaire des racines de langues indoeuropéennes*, París, Larousse, 1950.

Jacquenod, R.: *Nouveau dictionnaire étymologique*, París, Marabout, 1996.

Klein, E.: *A comprehensive etymological dictionary of the English language*, Amsterdam, Elsevier, 1967.

Kurath, H.: *The semantic sources of the words for emotios in Sanskrit, Greek, Latin, and the Germanic languages*, Chicago, University of Chicago Dissertation, 1921.

Liddell, H. G., Scott, R. y Jones, H. S.: *A Greek-English lexicon*, Oxford, Oxford University Press, 1967.

Mann, S. E.: *An Indoeuropean comparative dictionary*, Hamburgo, Helmut Buske Verlag, 1984-1987.

Moliner, M.: *Diccionario del uso del español*, Madrid, Gredos, 1984.

Onions, C. T.: *The Oxford dictionary of English etymology*, Oxford, Clarendon Press, 1966.

Oxford English Dictionary on CD. Complete edition, Oxford, 1992.

Picoche, J.: *Le Robert: Dictionnaire étymologique du français*, París, Les Usuels du Robert, 1994.

Roberts, E. y Pastor, B.: *Diccionario etimológico indoeuropeo de la lengua española*, Madrid, Alianza, 1997 (3ª ed.).

Watkins, C.: *The American heritage dictionary of Indoeuropean roots*, Boston-Nueva York, William Morris Ed.-American Heritage Publishing Co., 1985.

Webster New World's Dictionary, Nueva York, World Publishing Co., 1979.

Zimmerman, H.: *Tres mil historias de frases y palabras*, Buenos Aires, Aguilar, 1999.

Otras obras consultadas

Abram, D.: *La magia de los sentidos*, Barcelona, Kairós, 1999.

Agamben, G.: *Estancias. La palabra y el fantasma en la cultura occidental*, Valencia, Pre-textos, 2001.

Appignanesi, L. y Forrester, J.: *Las mujeres de Freud*, Buenos Aires, Planeta, 1996.

Aristóteles: *Obras completas*, Madrid, Gredos, 1984.

Arrivé, M.: *Lingüística y psicoanálisis*, México, Siglo XXI, 2001.

Benjamin, W.: *Angelus Novus*, Barcelona, Edhasa, 1971.

Benveniste, É.: *Problèmes de linguistique générale. Le vocabulaire des institutions indoeuropéennes*, París, Les Éditions de Minuit, 1969.

Bodei, R.: *Una geometría de las pasiones*, Barcelona, Muchnik, 1991.

Bomhard, A. R. y Kerns, J. C.: *The Nostratic family: a study in distant linguistic relationships*, Berlín, Mouton de Gruyter, 1994 y Amsterdam, Benjamin, 1984.

Bremmer, R. y Van den Berg, J.: *Current trends in West Germany etymological lexicography*, Amsterdam, Brill, 1993.

Calvet, L.-J.: *Historias de palabras*, Madrid, Gredos, 1996.

Carpintero, E.: *La alegría de lo necesario. Las pasiones y el poder en Spinoza y Freud*, Buenos Aires, Topía, 2003.

Delacroix, H., Cassirer, E., Bühler, K., Goldstein, K. y otros: *Psicología del lenguaje*, Buenos Aires, Paidós, 1960.

Deleuze, G.: *Diálogos con Claire Parnet*, Valencia, Pre-Textos, 1980.

_____: *En medio de Spinoza*, Buenos Aires, Cactus, 2003.

Foucault, M.: *Folie et déraison: histoire de la folie*, París, Plon, 1961.

Frazer, J. G: *La rama dorada*, México, Fondo de Cultura Económica, 1944.

Freud, S: *Obras completas*, Buenos Aires, Amorrortu, 1979.

García Meseguer, Á.: *Lenguaje y discriminación sexual*, Madrid, Edicusa, 1977.

Garrus, R.: *Curiosités etymologiques. Les racines grecques-Les racines latines*, París, Belin, 1996.

Graves, R.: *Greek myths*, Londres, Penguin Books, 1981.

Grimal, P.: *Diccionario de mitología griega y romana*, Buenos Aires, Paidós, 1981.

Juret, A.: *Les idées et les mots*, París, Vrin, 1960.

Kancyper, L.: *La confrontación generacional*, Buenos Aires, Paidós, 1997.

Kreimer, R.: *Falacias del amor. ¿Por qué Occidente unió amor y sufrimiento?*, Buenos Aires, Anarres, 2004.

Malkiel, Y.: *Etimología*, Madrid, Cambrige University Press-Cátedra, 1996.

Metaphor: A practical introduction, Oxford, Oxford University Press, 2002.

Melgar, M. C.: *Amor, enamoramiento, pasión*, Buenos Aires, Kargieman, 1997.

Morford, M. P. O. y Lenardon, R. J.: *Classical mythology*, Nueva York-Londres, Longman, 1985.

Olender, M.: *Las lenguas del Paraíso*, Buenos Aires, Fondo de Cultura Económica, 2005.

Paz, O.: *La doble llama*, Barcelona, Seix-Barral, 1994.

Platón: *Diálogos*, México, Porrúa, 1998.

Restrepo, F.: *El alma de las palabras*, Bogotá, Instituto Caro y Cuervo, 1974.

Régis, E.: *Précis de psychiatrie*, París, Octave Doin, 1906.

Rholfs, G.: *Estudios sobre léxico románico*, Madrid, Gredos, 1975.

Rougemont, D. de: *El amor y Occidente*, Buenos Aires, Sur, 1959.

Ruhlen, M.: *L'origine des langues*, París, Belin, 1997.

Spielrein, S.: *Entre Jung et Freud. Dossier découvert par Aldo Carotenuto et Carlo Trombetta*, París, Aubier-Montaigne, 1981.

Saussure, F. de: *Cours de linguistique générale*, París, Payot, 1955.

Savater, F.: *Los diez mandamientos en el siglo XXI. Tradición y actualidad del legado de Moisés*, Buenos Aires, Sudamericana, 2004.

Sedley, D.: *Cratylo*, Cambridge, Cambridge University Press, 2003.

Spinoza, B.: *Oeuvres*, 4 vols., París, Garnier, 1966. Traducción y notas de Ch. Appuhn.

Steiner, G.: *Lenguaje y silencio*, Barcelona, Gedisa, 1994.

Tatián, D.: *La cautela del salvaje. Pasiones y política en Spinoza*, Buenos Aires, Adriana Hidalgo Editora, 2001. Prólogo de Remo Bodei.

Vegetti Finzi, S. (comp.): *Historia de las pasiones*, Buenos Aires, Losada, 1998.

Vigil Rubio, J.: *Diccionario razonado de vicios, pecados y enfermedades morales*, Madrid, Alianza, 1999.